LIFESA

LE JARDIN DES DISPARUS

Née le 19 janvier 1921 à Forth Worth, dans le Texas, Patricia Highsmith a passé la plus grande partie de sa jeunesse à New York et a fait ses études à Barnard College, Université Columbia, où elle reçut ses diplômes en 1942.
Son premier roman, L'Inconnu du Nord-Express, *remporta un grand succès de presse et de librairie et, porté à l'écran par Hitchcock, deviendra un classique du cinéma (choisi parmi les dix meilleurs films de l'année 1951).*
Autres réussites : Monsieur Ripley, *dont René Clément tira le film « Plein soleil » (avec Alain Delon) remporta en Amérique le Prix des « Mystery Writers of America » en 1956 et, en France, le Grand Prix de la Littérature Policière, en 1957.*
Suivront Ripley et les ombres, Ripley s'amuse *(« L'Ami américain », film mis en scène par Wim Wenders),* Le Meurtrier *qui a été sélectionné par le* Times *de Londres parmi les 99 meilleurs romans policiers de tous les temps et désigné par le* New York Herald Tribune *comme « la meilleure histoire de suspense »;* Claude Autant-Lara *en a tiré un film,* L'Empreinte du faux, L'Amateur d'escargots *(Grand Prix de l'Humour noir en 1975).* Ce Mal étrange *(« Dites-lui que je l'aime ») a été porté à l'écran par Claude Miller.* Eaux profondes *a inspiré le cinéaste Michel Deville.* Le Journal d'Édith *et* Ces gens qui frappent à la porte *ont également connu un grand succès. Patricia Highsmith s'est fixée en Suisse.*

Dans le jardin de Pénélope se dressent, telles d'étranges statues du souvenir, les silhouettes empaillées des animaux qu'autrefois elle a aimés. Pour elle, c'est une façon de conserver à ses côtés ses chers compagnons. Pour son époux, c'est une manie un peu ridicule, qu'il tolère tant bien que mal. Jusqu'au jour où le joli jardin devient un champ de bataille où tous deux s'affrontent, où les rancœurs conjugales remontent à la surface et font d'un paisible bosquet un piège mortel...
Le Jardin des disparus est la première des neuf nouvelles réunies dans ce volume, qui se clôt sur une terrifiante vengeance mutuelle entre époux, dernière touche d'un recueil en forme de tableau de mœurs — et particulièrement de mœurs matrimoniales — où la noirceur n'a d'égale que la subtilité. Comme toujours, Patricia Highsmith étudie jusqu'au vertige, d'une plume à la fois tendre et mordante, les éternels conflits de la psychologie humaine.

ŒUVRES DE PATRICIA HIGHSMITH

PATRICIA HIGHSMITH

Le Jardin
des disparus

NOUVELLES

**TRADUITES DE L'AMÉRICAIN
PAR MARIE-FRANCE GIROD
ET PAR
MARIE-FRANCE DE PALOMÉRA
POUR LA NOUVELLE *EPOUX EN FROID***

*Madrid
Avril 1984*

CALMANN-LÉVY

Pour Michel Block

LE JARDIN DES DISPARUS

Titre original de la nouvelle
THE STUFF OF MADNESS

LORSQUE Christopher Waggoner, à la fin de ses études de droit, avait épousé en justes noces Penelope — Penny — , il n'ignorait pas son amour des chiens et des chats, lequel était d'ailleurs une tradition familiale. Eprouver de l'affection à l'égard d'un animal qui faisait partie de la maison n'avait rien d'anormal. Christopher n'avait même guère prêté attention au corps empaillé de la petite Pixie, un loulou de Poméranie blanc aux yeux de verre noirs qui trônait dans le bureau du père de Penelope, sur un socle portant la date de sa naissance et celle de sa mort. Il ne s'était pas plus préoccupé de Marmy, le chat roux et blanc identiquement conservé qui se tenait sur le sol, dans un autre coin de la pièce. Pendant ses fiançailles, un chien et un chat vivaient sous le toit des Marshall, il s'en souvenait, mais ils étaient rapidement tombés entre les mains du taxidermiste. Depuis, ils ornaient, l'un bien droit, l'autre assis, un affleurement rocheux du jardin du couple, dans le Suffolk. En fait, avec Pixie et Marmy, ils n'étaient pas les seuls à peupler — si l'on pouvait user de ce terme — le jardin de Willow Close.

Il y avait Smelty, le Scotch terrier noir qui, une patte en l'air, montrait une dentition agressive, et puis Jeff, le berger irlandais dont la robe luttait de son mieux contre les éléments. Certains étaient là depuis deux bonnes dizaines d'années. Riba, le chat abyssin dont Penny avait choisi le prénom à la suite de quelque expérience mystique, était juché sur la branche d'un arbre, ses yeux mordorés fixés sur l'allée en dessous, comme prêt à assaillir tout arrivant. Christopher avait vu des visiteurs faire un bond en arrière, surpris par ce spectacle.

L'un dans l'autre, il y avait dix-sept à dix-huit chiens et chats empaillés disséminés dans le jardin, et un lapin. Les deux enfants des Waggoner, Philip et Marjorie, aujourd'hui mariés, les contemplaient d'un regard indulgent, mais Christopher se souvenait d'un temps où il n'en était pas ainsi. Par exemple, quand Marjorie refusait que ses petits amis pussent voir le jardin, malgré le nombre plus réduit de ses hôtes à l'époque. Ou lorsque Philip, alors âgé de douze ans, avait tenté de jeter Pixie dans un feu de joie et, surpris par Penny, s'était vu passer le plus sérieux savon de sa vie.

Actuellement, une crise s'était fait jour, dont leur chien Jupiter, un setter feu, et Flora, une douce chatte noire aux pattes blanches, étaient les témoins attentifs. Peu habitués à sentir une atmosphère tendue à Willow Close, ils ne pouvaient guère deviner qu'en fait Christopher tentait de les protéger d'une éternité empaillée et battue par les intempéries. Est-ce que tout animal, s'il avait pu choisir, n'aurait pas préféré, le moment venu, se décomposer à quelques pieds sous terre, comme toute chair ? C'est en vain que Christopher avait usé à plusieurs reprises de cet argument.

L'altercation qui l'opposait présentement à son

épouse avait pour cause l'éventuelle visite de journalistes désireux de photographier les animaux empaillés et de faire un article sur le hobby de Penny.

« Mes petits chéris dans les journaux... disait-elle d'une voix implorante. Quel joli hommage à leur rendre! Et puis le *Times* pourra en reproduire une partie, ainsi qu'une photo. Il n'y a aucun mal à cela. »

Christopher répondit avec calme, mais en faisant en sorte que chaque mot porte.

« Le mal, en l'occurrence, c'est la violation de notre vie privée, la tienne et la mienne. Je suis un avoué respecté. Je continue à me rendre à Londres une à deux fois par semaine. Je ne veux pas que n'importe qui sache mon adresse. La plupart de mes clients et collègues ne connaissent que mes coordonnées londoniennes. Tiens-tu à ce que le téléphone sonne une vingtaine de fois par jour ?

— Oh! Christopher! Tu sais bien que ceux qui le souhaitent l'obtiennent sans problème... »

En pantoufles, pantalon confortable et sweater, Christopher se tenait sur le carrelage de la cuisine, une liasse de feuillets dactylographiés à la main. Il venait de son bureau, pensant que le coup de fil donné par Penny quelques instants plus tôt pouvait bien avoir donné le feu vert aux journalistes. Penny, toutefois, l'assura qu'elle avait appelé son coiffeur à Ipswich pour obtenir un rendez-vous le mercredi.

Chris fit une nouvelle tentative.

« Ecoute, il y a deux jours, tu partageais mon point de vue. Pour dire la vérité, je ne veux pas que mes associés pensent que j'habite un endroit aussi... aussi bizarre. » Il avait cherché le mot juste, abandonné le terme « macabre », mais peut-être eût-il été mieux approprié. « Pour beaucoup de gens, dont moi, quelquefois, il peut être un brin déprimant. »

Il vit qu'il l'avait blessée. Pourtant, il voulut profiter de l'avantage acquis avant qu'il ne soit trop tard.

« Penny, je sais que tu aimes ces souvenirs dans le jardin, mais pour être honnête, Philip et Marjorie jugent nos vieux compagnons un peu fantomatiques. Marjorie a deux enfants, ils en rient maintenant, mais...

— Autrement dit, c'est pour mon seul plaisir. »

Il prit une inspiration.

« Je veux simplement que l'on ne fasse aucune publicité autour de ce jardin. Pense à Pixie et à ce vieux Marmy, ajouta-t-il avec un sourire, s'ils se voyaient ainsi dans le journal, ils pourraient bien ne pas être contents, eux non plus. C'est également un viol de leur vie privée. »

Penny tira nerveusement son tricot sur son pantalon.

« J'ai dit oui à ces journalistes. Ils ne seront que deux, apparemment, le reporter et un photographe. Ils viennent jeudi matin. »

Seigneur, gémit intérieurement Christopher. Il regarda les yeux bleus écarquillés de sa femme. Innocents. Elle ne comprenait vraiment pas. Comme elle ne travaillait pas, elle s'était passionnée pour sa collection d'animaux empaillés et le tricot, pour lequel elle était douée et qu'elle enseignait à l'Institut des femmes. Elle ne pratiquait pas la taxidermie elle-même : c'était la tâche d'un homme de l'art londonien. Mais l'arrivée des journalistes représentait pour elle, en un sens, une consécration. Christopher, furieux, ne savait qu'ajouter. Comment décommander les journalistes sans paraître à couteaux tirés avec sa femme ou sans que le couple (à condition que Penny l'approuvât) semblât une paire de maniaques soucieux de respecter leurs défunts compagnons au point de ne pas les laisser photographier ?

« Ma carrière va en souffrir — gravement.

— Mais ta carrière est faite, mon chéri. Tu n'es pas en pleine compétition. Et tu dis souvent que tu es en semi-retraite... »

Sa voix aiguë, claire, suppliait, pitoyable comme celle d'une petite fille quémandeuse.

« Je n'ai que soixante et un ans. » Christopher rentra le ventre. « A soixante-neuf, Hawkins n'a pas plus dételé que moi. »

Christopher regagna son bureau, sa pièce favorite. Elle lui servait de chambre depuis deux ans, car il la préférait à la chambre conjugale et à la chambre d'amis. Il savait que les yeux de sa femme étaient pleins de larmes, mais il mettait celles-ci sur le compte de la frustration et de la fureur. Il aimait la maison, cette vieille demeure d'un étage construite en briques rouges, dont la vigne vierge venait adoucir les surplombs du toit. Dans le jardin de derrière, il y avait un joli catalpa — où malheureusement Riba, l'abyssin, était installé d'un air menaçant — et un ravissant réseau d'allées dont Christopher connaissait chaque centimètre par cœur. Il s'y était promené un nombre de fois incalculable, réfléchissant à des points de légalité, ou se reposant de son travail en examinant de près un rosier ou un hortensia. Il avait pris l'habitude de ne plus prêter attention à la macabre — oui, macabre — apparence des bêtes qu'ils avaient tous les deux connues et aimées autrefois. Maintenant, tout ceci allait être envahi, livré aux regards étonnés ou moqueurs du public.

En fait, Penny avait-elle une idée de la façon dont les journalistes avaient l'intention de pré-

senter leur article, qui serait d'ailleurs vraisemblablement en pleine page, puisque les animaux
empaillés étaient, à leur façon, si photogéniques ?
Qui avait glissé cette idée aux journalistes du
Chronicle ?

Une des raisons de son angoisse, Christopher
ne l'ignorait pas, était que son dernier acte
d'autorité remontait loin dans le passé, à l'époque
où Penny n'avait pas encore changé le jardin en
nécropole. Penny avait toujours été une bonne
épouse, au meilleur sens du terme. Une bonne
mère également, une femme sans tache, fort jolie
dans sa jeunesse et qui soignait toujours son
apparence. Lui, en revanche, n'était pas sans
reproche, il l'admettait. Il n'aimait pas trop
s'aventurer du côté de cette époque de sa vie,
lorsque Penny attendait Marjorie. Mais enfin, il
avait quitté Louise. Louise aurait été actuellement auprès de lui, s'il s'était séparé de Penny.
Combien son existence eût été différente, combien plus heureuse ! Christopher l'imagina autrement plus enrichissante et satisfaisante, bien
qu'il eût continué sa carrière juridique, évidemment. Louise était passionnée, imaginative.
Quand Christopher avait fait sa connaissance, elle
étudiait la pédopsychiatrie. A présent, elle avait
une importante situation dans une institution
pour enfants aux Etats-Unis. Christopher l'avait
lu dans un magazine et, des années auparavant, il
avait appris par le journal qu'elle avait épousé un
médecin américain.

Brusquement, Christopher revit Louise aussi
distinctement qu'elle lui était apparue lors de
leur premier rendez-vous à la gare du Nord. Elle
l'y attendait, car elle était arrivée à Paris quelques heures plus tôt. Il se remémorait ses yeux
emplis de jeunesse et de bonheur, d'un bleu plus

pâle que ceux de Penny, ses lèvres tendres et sou-riantes, le chapeau beige bordé de fourrure noire qu'elle portait et même son parfum. Penny avait découvert sa liaison, l'avait conduit à y mettre fin. Par quelles voies ? Christopher ne se souvenait plus de ses paroles, mais il était sûr qu'elles ne comportaient ni menaces, ni chantage d'aucune sorte. Il avait accepté. Il avait écrit à Louise qu'il la quittait, puis il s'était effondré pendant deux jours qu'il avait passés au lit, épuisé, déprimé, si malheureux qu'il avait souhaité mourir. Avec les années, il se rendait compte que cet effondrement était un suicide symbolique. Tout bien considéré, il se trouvait plutôt content d'être resté ainsi au lieu de s'envoyer une balle dans la tête.

Ce soir-là, au cours du dîner, Penny lui fit remarquer son manque d'appétit.

« C'est vrai, excuse-moi, dit-il en chipotant avec sa côtelette d'agneau, je ferais aussi bien de la donner à Jupiter. »

Christopher regarda le chien qui emportait la côtelette dans son coin, au fond de la cuisine. Dans un an ou à peu près, pensa-t-il, Jupiter serait planté sur trois pattes dans le jardin, figé à tout jamais dans un simulacre de course. Il souhaita ne pas vivre assez longtemps pour voir cela. Mâchoires serrées, il contempla le fond de son verre, dont il torturait le pied. Le vin lui-même ne parvenait pas à l'égayer.

« Christopher, je suis désolée pour les journa-listes. Ils sont venus me chercher, ils m'ont sup-pliée. J'ignorais que cela te perturberait autant. »

Christopher eut l'impression qu'elle ne disait pas la vérité. D'autre part, elle n'était pas méchante. Il se hasarda :

« Tu peux encore les décommander, non ? Dis-leur que tu as changé d'avis. Inutile de parler de moi. »

Penny hésita, puis secoua la tête.

« En fait, je ne veux pas les décommander. J'aime ce jardin. Cet article me permettra de le partager, en quelque sorte, avec des amis, ou des gens que je ne connais même pas. »

Elle s'imaginait recevant des lettres d'inconnus, prêts à utiliser sa méthode pour conserver leurs compagnons à quatre pattes chez eux ou — pire — dans leur jardin et demandant l'adresse de son taxidermiste. La volonté de Christopher s'affermit. Il lui faudrait endurer cela et il l'endurerait comme un homme. Il ne quitterait même pas la maison quand les journalistes seraient là, car ce serait lâche, mais il prendrait garde à n'apparaître sur aucune photo.

La journée du mercredi fut agréable et ensoleillée. Il ne posa pas le pied dans le jardin; elle était gâchée pour lui. Les roses épanouies, le saule délicatement penché, d'un vert doré par le soleil, semblaient un décor de théâtre pour ces maudits journalistes. Il s'était donné beaucoup de mal pour apporter la beauté à ce jardin et voilà que ces malotrus allaient piétiner ses primevères et ses pensées en prenant du recul pour leurs stupides photos.

Quelque chose montait en Christopher, le désir de rendre la monnaie de leur pièce à Penny comme aux journalistes. Il avait envie de jeter une bombe dans le jardin, mais les plantes et peut-être une partie de la maison en souffriraient. C'était absurde. Pourtant, il bouillait d'une insupportable colère. Même de la fenêtre de la cuisine, on pouvait apercevoir le poil blanc de Pixie, à la gauche du catalpa. Et l'on voyait encore mieux Doggo, le colley brun et blanc posé sur un socle près du mur du jardin. Jusqu'alors, Christopher avait pu les abstraire de son champ de vision. C'était désormais impossible.

Lorsque, le mercredi après-midi, l'amie de Penny, Beatrice, vint la prendre pour la conduire chez leur coiffeur commun, Christopher monta dans sa propre voiture et se dirigea sans but vers le nord. Jamais cela ne lui était arrivé. En temps normal, il aurait considéré ce geste comme un gaspillage d'essence, car il n'avait pas emporté une liste de courses à faire. Son esprit demeurait fixé sur Louise. *Louise*... Il avait évité de prononcer ce prénom pendant des années; la douleur était trop forte. A présent, il jouissait de cette souffrance dotée d'un pouvoir purificateur. Garder le souvenir de Louise dans le jardin, voilà ce que Penny aurait dû faire. Louise, créature à conserver entre toutes... Penny l'avait rencontrée une fois, lors d'un cocktail londonien, pendant leur liaison. Elle avait eu l'intuition de quelque chose et avait fait un peu plus tard une remarque à Christopher. Plusieurs mois après, elle avait découvert les trois photos de Louise. A son crédit, toutefois, il faut dire qu'elle ne fouinait pas, elle cherchait un bouton de manchette que Christopher pensait avoir égaré au fond de la commode. « Dis-moi, Christopher, avait-elle remarqué, c'est bien la jeune femme qui assistait au cocktail, n'est-ce pas ? » Et il avait avoué, spontanément, qu'il la voyait toujours. Penny enceinte, Christopher n'avait pas trouvé la force de se battre pour garder Louise. Il se le reprochait encore.

Christopher se dirigea vers Bury-Saint-Edmunds et gara la voiture près d'un grand magasin. De façon inhabituelle, il se sentait empli de confiance en lui. Il ferait comme il l'avait décidé et tout irait bien. En se dirigeant vers l'entrée du magasin, il regarda les vitrines : la mode d'été était présentée sur des mannequins aux jambes couleur chair, un sourire niais ou une moue stupide sur les lèvres, bras et mains tendus de façon racoleuse. Ce n'était pas ce qu'il cherchait. Puis il la vit. Elle était assise à une petite table ronde, jeune femme blonde vêtue d'un chemisier bleu sombre à col marin, d'une jupe marine et chaussée d'escarpins de cuir noir. Devant elle était posé un verre à pied vide. Des figures de cire masculines l'entouraient, pieds et torse nus, ou bien vêtus de pulls rayés bleu et blanc. Tous avaient des pantalons immaculés.

« Où puis-je trouver le gérant ? » interrogea Christopher.

Devant la réponse évasive de la vendeuse, il décida de poursuivre seul ses investigations. Il tomba sur une réserve, près de la vitrine où se trouvait le mannequin.

Cinq minutes plus tard, il avait ce qu'il cherchait. Un jeune étalagiste du nom de Jeremy quelque chose la portait même jusqu'à sa voiture, elle, la jeune femme en bleu marine aux cheveux de paille ternes. Christopher avait proposé, pour une location de vingt-quatre heures, un dépôt de cent livres, dont la moitié serait restituée au retour du mannequin en bon état. Un billet de dix livres opportunément glissé dans la main de l'étalagiste avait conclu le marché.

Une fois le mannequin installé sur le siège arrière, Christopher retourna dans le magasin pour acquérir un chapeau. Il finit par trouver à peu près celui qu'il cherchait, blanc au lieu de beige et bordé de velours noir au lieu de fourrure. La ressemblance avec celui que portait Louise sur les photos était toutefois suffisante et il était sûr que Penny ne l'avait pas oublié. Quand il regagna

sa voiture, un petit enfant dévisageait le mannequin avec curiosité. Christopher lui adressa un
sourire aimable, recouvrit la silhouette de la couverture utilisée pour protéger le siège des pattes
de Jupiter quand il allait subir ses piqûres contre
l'arthrite chez le vétérinaire et démarra. Le temps
lui manquait un peu et il espérait que Beatrice
offrirait le thé à Penny chez elle et non l'inverse.

Il avait de la chance. Penny n'était pas rentrée.
Une fois qu'il en fut certain, Christopher trans-
porta le mannequin à l'intérieur de la maison par
la porte de service. Il l'installa sur la chaise
devant son bureau et s'offrit le plaisir d'imaginer
un instant que c'était là Louise, avec sa jeunesse
et ses joues pleines, qu'il pouvait lui parler, et
qu'elle allait répondre. Hélas ! les yeux de la jeune
femme, malgré leur forme et leur couleur, demeu-
raient vides. Seules ses lèvres arboraient un sourire vague, mais bien dessiné. Cela donna une
idée à Christopher. Il monta l'escalier et alla
prendre le rouge à lèvres le plus vif qu'il put trouver sur la coiffeuse de Penny. Puis, avec un soin
infini, tentant de contrôler un tremblement
comme il n'en avait jamais eu, il agrandit la lèvre
supérieure du mannequin et accentua la courbe
de la lèvre inférieure en son milieu. Les coins
relevés de la bouche éclatante faisaient un effet
superbe.

Il entendit soudain un bruit de moteur. Quelques instants plus tard, des portières claquaient,
des voix s'élevaient : Penny disait au revoir à Beatrice, il le devina au ton employé. Christopher
plaça le mannequin dans un coin sombre du
bureau et le dissimula sous un couvre-lit
emprunté au divan. De toute façon, Penny ne mettait jamais les pieds dans cette pièce, se bornant à
frapper à la porte pour annoncer que le thé ou le

repas étaient servis. Christopher cacha au même endroit le sac contenant le chapeau.

Penny, qui était particulièrement bien coiffée, fut d'une excellente humeur pendant la fin de l'après-midi et la soirée. Christopher, lui, se comporta avec politesse, sans plus, mais il se sentait également, à sa façon, dans de bonnes dispositions. Il se posa la question de savoir s'il valait mieux placer l'effigie de Louise dans le jardin le soir ou le lendemain. Le soir, Jupiter pouvait aboyer, car, en cette saison, il dormait dans sa niche près de la porte de service. Si Christopher, ne trouvant pas le sommeil, s'offrait sur le coup de minuit une petite promenade au jardin et ordonnait au chien de se taire, Jupiter obéirait, mais s'il déambulait, encombré par son fardeau, bataillant pour l'installer correctement, le stupide animal, attaché la nuit, pouvait fort bien continuer à aboyer. Christopher décida d'agir le lendemain matin.

Penny se retira peu après vingt-deux heures, non sans avoir joyeusement assuré Christopher que tout serait si vite terminé demain qu'il ne s'en rendrait même pas compte. « D'ailleurs, précisa-t-elle, je leur dirai de faire attention et de ne pas piétiner tes plates-bandes. » Elle ajouta qu'elle le jugeait très patient à propos de cette affaire.

Dans son bureau, Chris dormit à peine. Il entendit chaque heure sonner au clocher du village jusqu'à quatre heures, quand l'aube apparut à la fenêtre. Il se leva, s'habilla. Il réinstalla Louise sur sa chaise et s'exerça à la coiffer du chapeau selon un angle désinvolte. Dépouillé du verre que le mannequin avait eu entre les doigts, son avant-bras pouvait fort bien tenir une cigarette. Christopher en aurait volontiers placé une dans sa main, mais ni Penny ni lui ne fumaient et il n'y en avait pas dans la maison. Ce n'était d'ailleurs pas plus mal, car ainsi Louise semblait faire signe à quelqu'un qu'elle viendrait d'appeler. Avec un feutre noir, Christopher maquilla ses yeux bleus.

Parfait ! Cela faisait ressortir leur regard, et les coins se relevaient un peu à présent, comme les commissures de ses lèvres.

Christopher, chargé du mannequin encore recouvert du jeté de lit, sortit par la porte de service. Il savait où il devait le déposer, sur un petit banc de pierre en partie caché par les lauriers dans la partie gauche du jardin. Les yeux de Jupiter et les siens s'étaient rencontrés un instant. Le chien dormait, le museau et les pattes posés sur le rebord de sa niche, mais il n'avait pas daigné lever la tête. Christopher épousseta le banc avec le jeté de lit, puis y assit Louise avec précaution. Il plaça une pierre sous l'un des escarpins noirs, car la chaussure ne touchait pas vraiment le sol. Louise croisait les jambes. Elle avait l'air charmant, infiniment plus charmant que Mao-Mao, le pékinois au long poil qui pointait le museau à travers le feuillage à la gauche du banc, comme s'il gardait la petite clairière. La langue de Mao-Mao, qui pendait sur cinq bons centimètres, avait été exécutée par le taxidermiste dans on ne savait quel matériau et, décolorée, elle était maintenant d'une couleur chair à vous soulever le cœur. Pour quelque raison obscure, Mao-Mao était depuis toujours la cible favorite de leurs chiens et son poil était dans un état lamentable.

Louise, elle... Louise était merveilleuse, avec son chapeau rond, son ensemble marine tout pimpant, son regard empli de bonheur dirigé vers l'accès au recoin où elle se trouvait. Avec un sourire de satisfaction, Christopher regagna son bureau, où il dormit profondément jusqu'à ce que Penny le réveillât à huit heures pour le petit déjeuner.

Le journaliste et le photographe devaient être là à neuf heures trente. Ils furent ponctuels. Penny descendit les accueillir à la sortie de leur Volkswagen grise et sale. Ils étaient jeunes et, Chris le remarqua depuis la fenêtre du salon, encore plus négligés qu'il ne l'avait imaginé, l'un avec un T-shirt, l'autre avec un polo, et tous deux en blue-jeans. La crème de la presse, vraiment !

L'esprit juridique de Christopher lui présenta deux raisons de rejoindre ce petit monde dans le jardin : d'une part, il ne voulait pas paraître fâché ou, qui sait, physiquement handicapé — puisque les journalistes n'ignoraient pas que Penny était mariée et avec qui — de l'autre, il tenait à être témoin de la découverte de Louise. Aussi resta-t-il dans le jardin, près de la maison, quand les journalistes se furent présentés.

« Jonathan, regarde ! s'écria celui qui n'avait pas l'appareil photo, en arrêt devant Jeff, le grand chien berger. Il faut le prendre ! » Ses exclamations se firent plus perçantes encore lorsqu'il découvrit la vieille Pixie, dont l'effigie lui arracha un rire ravi.

Le reporter photographe mitraillait ici et là avec un appareil compact, qui émettait un léger ronflement suivi d'un déclic. Il y avait en fait des animaux empaillés un peu partout, plus voyants que les roses et les pivoines.

« Où faites-vous faire ce travail de spécialiste, madame Waggoner, si ce n'est pas indiscret ? Certains parmi nos lecteurs peuvent avoir envie d'adopter le même hobby...

— Oh ! c'est plus qu'un hobby, commença

Penny. C'est une façon de conserver auprès de moi mes chers compagnons. En gardant leur enveloppe charnelle à mes côtés, je souffre moins que ceux qui enterrent leurs petits amis dans le jardin.

— C'est exactement le genre de réponse que nous attendions », répondit le journaliste en prenant des notes.

Jonathan explorait maintenant le bas du jardin. Il y avait d'ailleurs un beagle baptisé Jonathan près de l'épine-vinette, se rappela Christopher, mais le journaliste ne le vit pas, ou bien il préféra des animaux plus spectaculaires. Le photographe se rapprocha de Louise, sans toutefois la voir. Il découvrit Riba dans le catalpa, fit un pas en arrière, manqua tomber et, en recouvrant son équilibre, il jeta un œil derrière lui, puis regarda de nouveau.

Penny était en train de dire au journaliste :

« M. Taylor vaporise sur leur poil un produit contre les intempéries...

— Mike! *Mike!* — cette fois une note aiguë de stupéfaction perçait dans la voix de l'homme — regarde!

— Eh bien, quoi? » Mike s'approchait d'un regard amusé.

« Ah! oui, c'est Mao-Mao, commença Penny en les suivant sur ses petits talons. Je crains qu'il ne soit pas dans un état...

— Non, non! Le mannequin! Qui est-ce? » Le photographe arborait un sourire poli.

Le regard de Penny suivit la direction indiquée par le doigt de l'homme. « Oh!... Oh! *seigneur!* » Elle prit une profonde inspiration, poussa un hurlement de sirène et se cacha le visage dans ses mains.

Jonathan la retint par le bras lorsqu'elle vacilla.

« Madame Waggoner... Que se passe-t-il ? Nous n'avons rien abîmé. C'est sans doute une de vos amies ?

— Quelqu'un que vous aimiez beaucoup ? » ajouta Mike d'un ton empli de tact.

Penny avait l'air effondré et, pendant quelques brefs instants, Christopher jouit de ce spectacle. Louise était là, dans toute sa gloire, jeune et jolie, sûre d'elle, sûre de lui, en plein dans leur jardin. « Une tasse de thé, Penny ? » interrogea-t-il.

Ils accompagnèrent Penny dans la cuisine. Christopher fit chauffer la bouilloire.

« C'est Louise, gémit Penny d'une voix blanche en se renversant dans le fauteuil de bambou, affreusement pâle.

— Elle ne voulait pas qu'on la photographie ? demanda Jonathan. On ne le fera pas, bien entendu. »

Christopher allait verser le thé quand Mike déclara :

« Je crois qu'il vaudrait mieux appeler un docteur, monsieur Waggoner.

— Peut... peut-être. »

Christopher se rendit compte qu'il aurait pu réconforter Penny, lui dire que c'était une plaisanterie. Il ne l'avait pas fait. Et Penny n'était plus en état de l'entendre.

« Pourquoi a-t-elle été si surprise ? » s'enquit Jonathan.

Christopher ne répondit pas. Il se dirigeait vers le téléphone, accompagné de Mike qui avait le numéro d'un médecin à Ipswich, au cas où le leur ne pourrait pas se déplacer. Un cri de Jonathan les arrêta. Il avait besoin de leur aide pour transporter Penny sur un canapé, ou en un endroit où elle pourrait s'allonger. Tous trois la portèrent dans le salon. Son fard à joues tranchait sur la pâleur de son visage.

« Ce doit être une attaque », dit Jonathan.

Le médecin des Waggoner allait venir, car sa secrétaire savait auprès de qui il était actuellement en visite. Il serait là dans cinq minutes environ. En attendant, Christopher recouvrit Penny d'une couverture et refit chauffer de l'eau pour une bouillotte. Elle respirait maintenant par la bouche.

« Nous attendrons que le docteur arrive. Ou bien souhaitez-vous que nous la conduisions directement à l'hôpital d'Ipswich ? dit Jonathan.

— Non... non merci. Il ne va pas tarder. »

Le docteur Dowes arriva peu après. Il prit le pouls de Penny et lui fit aussitôt une piqûre.

« C'est une crise cardiaque, oui. Mieux vaut la transporter à l'hôpital. »

Il alla téléphoner.

« Si cela était possible, monsieur Waggoner, nous aimerions revenir demain matin, dit Jonathan. Je n'ai pu prendre toutes les photos nécessaires et c'est impossible de le faire maintenant, car la journée est affreusement chargée. Pourrions-nous être là à neuf heures trente ? Une demi-heure suffira. »

Christopher pensa aussitôt à Louise. Ils ne l'avaient pas encore photographiée. Il tenait à cela et il savait qu'ils le feraient.

« Certainement. A neuf heures trente. Si par hasard je n'étais pas là, passez par le côté. La grille du jardin n'y est jamais fermée. »

Ils n'étaient pas sitôt partis que l'ambulance arrivait. Le docteur Dowes s'était enquis des raisons de l'attaque, mais il avait deviné les motifs de la présence des journalistes — il était bien sûr au courant des animaux empaillés — et il murmura quelque chose à propos de l'effort demandé au cœur de Penny par l'excitation à l'idée de montrer ses chers compagnons au public.

« Dois-je l'accompagner ? » interrogea Christopher.

Il n'en avait aucune envie.

« Inutile, vraiment, monsieur Waggoner. J'appellerai l'hôpital dans une heure environ, puis je vous téléphonerai.

— Est-ce grave ?

— Impossible de vous répondre, mais je pense qu'elle s'en tirera. C'est sa première attaque de ce genre. »

L'ambulance partit, puis le médecin. Christopher se rendit compte qu'il lui aurait été indifférent que le choc du spectacle de Louise eût tué Penny. Qu'elle fût en ce moment même entre la vie et la mort ne lui faisait curieusement rien. Demain, Penny morte ou vivante, les journalistes viendraient prendre des photos de Louise. Si Penny s'en sortait, comment expliquerait-il la présence de l'effigie d'une jeune femme dans son jardin ? Christopher sourit nerveusement. Quelle que fût l'issue, il pouvait toujours téléphoner au *Chronicle* et demander l'annulation de l'article, compte tenu de la tension éprouvée par sa femme avec toute cette publicité. Mais ce n'était pas ce que voulait Christopher. Il voulait voir la photo de Louise dans le journal. Ses enfants, Philip et Marjorie, soupçonneraient-ils l'identité de Louise ou le rôle joué par elle ? Difficile à imaginer, puisqu'ils n'avaient jamais entendu prononcer le nom de Louise et jamais vu les fameuses photos bien-aimées avant que Penny ne lui demandât de les détruire. Quant aux voisins et amis, ils en déduiraient ce qu'ils voudraient...

Christopher se versa un peu de thé, ôta du

salon la tasse de Penny encore pleine et emporta la sienne dans son bureau. Il avait du travail à faire et devait appeler Londres avant dix-sept heures.

A quatorze heures, le téléphone sonna. C'était le docteur Dowes.

« Bonne nouvelle, dit-il. Elle s'en sortira sans problème. Un infarctus. Elle devra passer une dizaine de jours au moins à l'hôpital, au repos total, mais dès demain vous pourrez la voir... »

Cette annonce déprima Christopher; il prononça cependant les mots adéquats. Quand il raccrocha, flottant aux frontières terrifiantes de la fiction et de la réalité, il se dit qu'il fallait prévenir Marjorie sur-le-champ et lui demander d'informer son frère.

« Tu as l'air terriblement abattu, papa, dit Marjorie. Cela aurait pu être pire, après tout. »

A nouveau, il prononça les phrases qu'il fallait. Marjorie promit que son frère et elle essaieraient de venir samedi.

A seize heures, Christopher fut en état de téléphoner à son bureau et d'informer Hawkins de la stratégie qu'il avait mise au point pour un client. Hawkins le félicita de ses suggestions. S'il remarqua le ton déprimé de Christopher, il n'en dit rien et celui-ci ne parla pas de sa femme.

Christopher n'appela ni le médecin ni l'hôpital durant la soirée. Penny allait rentrer, c'était le plus important. Comment le supporter? Comment rapporter le mannequin — Louise — au magasin d'Ipswich, selon sa promesse? Impossible de rendre Louise. Impossible. Et Penny pourrait bien la mettre en pièces, une fois rétablie. Christopher se versa un scotch, le but d'un trait, en sentit l'effet bénéfique. Cela l'aida à mettre ses idées en ordre. Dans son bureau, il écrivit une lettre à Jeremy Rogers, l'étalagiste dont il avait la carte de visite, disant que, compte tenu de circonstances indépendantes de sa volonté, il ne pouvait rapporter lui-même le mannequin emprunté. Celui-ci était disponible à son adresse et, pour le dérangement causé, il laissait la totalité de son dépôt. Il plaça la lettre dans la boîte, à la grille du jardin.

Le testament de Christopher était rédigé. Quant à ses enfants, ils seraient surpris. A quoi attribuer cela ? Pas à l'attaque de Penny, puisqu'elle s'en remettrait. Laissons Penny le leur expliquer, pensa-t-il. Il se versa un autre verre.

Boire faisait partie de son plan. Il n'y était pas habitué, et il en ressentit rapidement l'action lénifiante. Il monta à la salle de bain. Dans l'armoire à pharmacie, Penny gardait des tranquillisants divers. Christopher trouva quatre ou cinq flacons capables de servir son projet. Certains avaient dépassé la date de péremption, mais cela n'avait aucune importance. Il avala six ou huit comprimés, les fit passer avec de l'eau et du scotch, en prenant bien garde à penser à autre chose — son aspect extérieur, par exemple — de peur que l'idée de toutes ces pilules ne le fasse vomir.

Dans le miroir du vestibule, Christopher se coiffa, puis il enfila sa plus belle veste, un vêtement de tweed presque neuf, et continua à avaler des comprimés accompagnés de scotch. Il jeta négligemment les flacons vides à la poubelle.

Flora, la chatte, le regarda avec surprise lorsqu'il heurta un meuble et tomba sur un genou. Christopher se releva et lui prépara méthodiquement sa nourriture. Jupiter, lui, pourrait bien sauter un repas.

« Miaou », fit Flora, comme à son habitude, pour remercier de sa pâtée avant de l'avaler.

Puis, se cognant au chambranle, se traînant sur les marches, Christopher gagna l'allée. Il ne s'effondra qu'une fois. Quand il approcha de son but, son visage s'éclaira. Louise était là, dans un léger brouillard, mais avec le même air de dignité et de confiance. Vivante ! Elle lui adressa un sourire de bienvenue. « Louise », dit-il à haute voix et, péniblement, il rassembla ses forces et se laissa choir à ses côtés, sur le banc de pierre. Il toucha sa main fraîche et ferme, celle qui était tendue, les doigts légèrement écartés. C'était toujours une *main*, pensa-t-il. Un peu refroidie par l'air du soir, peut-être.

Le lendemain matin, le photographe et le journaliste le découvrirent. Il avait glissé de côté et se tenait, raide comme un mannequin, la tête posée dans le giron bleu marine.

LE CERF-VOLANT

Titre original de la nouvelle
THE KITE

Les voix assourdies du père et de la mère de Walter traversaient le vestibule et venaient en rafales se heurter à sa chambre. A propos de quoi se querellaient-ils, à présent ? Walter n'écoutait pas. Il pensa fermer la porte d'un coup de pied, mais y renonça. Il pouvait très bien, à la place, fermer ses oreilles à leurs mots. Agenouillé sur le sol, il taillait avec soin une baguette de baumier qui atteignait presque deux mètres soixante-dix de long. Elle aurait mesuré exactement deux mètres soixante-dix, songea-t-il, s'il ne l'avait taillée trop sévèrement quelques instants auparavant et n'avait dû ôter un petit bout et recommencer. C'était la pièce majeure du cerf-volant qu'il était en train de réaliser. La tige transversale ne ferait pas loin d'un mètre quatre-vingts; il lui faudrait donc redresser le cerf-volant pour le faire sortir par la porte de sa chambre.

« *Je* n'ai jamais dit *ça*! »

Il y avait, dans la voix suraiguë de sa mère, une note d'impatience.

Une ou deux fois par semaine, son père allait s'installer, en marmonnant, sur le canapé du living-room, au lieu de rester dans la chambre auprès de sa mère. Il leur arrivait de parler d'Elsie, la sœur de Walter, mais à cela aussi Walter avait cessé de prêter l'oreille. Elsie était morte deux mois auparavant à l'hôpital, d'une pneumonie. Walter remarqua qu'il y avait dans l'air une odeur de bacon ou de jambon frit. Il avait faim, mais le menu du dîner ne l'intéressait nullement. Peut-être parviendrait-on à la fin du repas sans que son père se lève et quitte la table, ou même prenne la voiture et disparaisse. Cela n'avait aucune importance.

Ce qui comptait, c'était ce qui naissait sous ses doigts, ce grand cerf-volant qui jusqu'à maintenant lui donnait satisfaction. Il n'avait jamais tenté d'en fabriquer un de cette taille. Parviendrait-il à voler ? Il faudrait que la queue soit diablement longue. Il aurait sans doute à la tester. Dans un coin de sa chambre était posé un rouleau de papier de riz rose, d'un mètre quatre-vingts de large. Walter attendait, avec plaisir et une pointe d'appréhension, de le découper d'un seul tenant. Il l'avait commandé dans une papeterie de la ville, avec un délai de livraison d'un mois, car il venait de San Francisco. Son argent de poche avait fourni les huit dollars nécessaires, c'est-à-dire qu'il avait dû se priver des ice-cream sodas et des hamburgers qu'il avait l'habitude de prendre chez Cooper en compagnie de ses copains.

Walter se releva. Il avait punaisé, sur le mur au-dessus de son lit, un cerf-volant violet. Le papier était troué, car un oiseau l'avait traversé tel un kamikaze. L'oiseau était sorti indemne de l'aventure; pas le cerf-volant. Il était tombé rapidement, pendant que Walter enroulait la corde afin d'éviter qu'il ne heurte un arbre. Walter avait récupéré le cerf-volant, ou du moins ce qui en restait. Elsie et lui l'avaient fabriqué ensemble et Walter l'aimait beaucoup.

« Wally! Le dîner est servi! cria sa mère de la cuisine.

— J'arrive, maman! »

Une pelle à la main, Walter ramassait les minuscules copeaux de baumier. L'année précédente, sa mère avait retiré la moquette. Le sol nu était plus facile à balayer et il pouvait mieux travailler dessus quand il collait quelque chose. Walter vida les copeaux dans la corbeille à papier. Il leva les yeux vers le cerf-volant cellulaire — bleu et jaune — qui pendait du plafond. Elsie l'aimait bien. Il songea qu'elle aurait admiré celui qu'il exécutait. Brusquement, Walter sut quelle inscription il mettrait dessus : simplement le prénom de sa sœur — Elsie — en gracieux caractères.

« *Wally?* »

Walter se rendit dans la cuisine. Son père et sa mère étaient déjà installés autour de la table rectangulaire. La quatrième chaise, celle de sa sœur, était toujours là. Peut-être n'était-elle là que pour la symétrie — une chaise de chaque côté de la table — bien qu'il y eût de la place pour huit. Walter regarda à peine son père, qui l'observait; il s'attendait à une remarque désagréable. Son père avait des cheveux bruns, plus sombres que ceux de Walter, et les mêmes sourcils droits. Depuis quelque temps, il arborait un sourire amusé auquel Walter avait appris qu'il ne fallait pas se fier. Steve vendait des voitures, neuves et d'occasion, et il aimait les costumes de tweed. Même à présent, en juin, il portait un pantalon de tweed brun, bien que sa cravate fût desserrée et le col de sa chemise ouvert. Quant à sa mère, on voyait qu'elle était allée se faire faire une beauté cet après-midi, car ses cheveux étaient plus vaporeux que d'habitude.

« Tu es bien calme, Wally », remarqua-t-elle.

Walter mangeait son jambon au riz, une assiette de salade verte à côté de lui.

« Tu ne dis rien », ajouta-t-elle.

Le père de Walter émit un petit rire.

« Qu'as-tu fait cet après-midi ? » interrogea sa mère.

Walter haussa les épaules. Elle voulait parler du temps qui s'était écoulé entre son retour de l'école, à quinze heures trente, et le dîner.

« Oh ! rien de particulier.

— Du moment qu'il n'est pas allé... tu sais où. » Steve tendit la main vers sa chope de bière.

Le feu monta aux joues de Walter. Du moment qu'il n'était pas retourné au cimetière... voilà ce que sous-entendait son père. En fait, Walter n'y allait pas souvent. Il détestait d'ailleurs cet endroit. Il ne s'y était rendu seul que deux fois environ. Comment ses parents le savaient-ils ?

« Wally est resté à la maison tout l'après-midi, dit sa mère d'une voix douce.

— Le gardien, là-bas... l'a fait remarquer, tu sais bien, Gladys.

— Ecoute, Steve, est-il nécessaire de... »

Steve mordit dans une tranche de pain et regarda son fils.

« Il y a un gardien, Wally. Pourquoi as-tu besoin d'escalader la clôture ? Si tu veux entrer, il suffit de sonner à la porte. Il est là pour ça. »

Wally serra les lèvres. Seigneur, il n'avait aucune envie de se rendre sur la tombe de sa sœur en compagnie d'un vieux gardien !

« Après tout, quelle importance si ça m'est arrivé... une fois, répliqua Walter. Franchement, je trouve l'endroit *ennuyeux*. »

Laid et stupide, avec toutes ces tombes, aurait-il pu ajouter.

« Eh bien, n'y va pas », dit son père, avec un sourire plus large, à présent.

Walter, furieux, jeta un regard à sa mère. Il ne savait que répondre et pourtant il n'attendait aucune aide de sa part.

« *Cou*cou ! *Cou*cou ! *Cou*cou ! »

« Et je ne peux plus supporter ce fichu coucou ! » hurla son père tout en bondissant de son siège. Il décrocha la pendule du mur et sembla sur le point de l'envoyer se fracasser sur le sol tandis que l'oiseau continuait ses apparitions, marquant les sept heures du soir.

« Ah ! ah ! Ah ! ah ! ah ! »

Walter rit aux éclats, puis tenta de se contrôler. Il faillit s'étouffer avec sa laitue, s'empara de son verre de lait et y noya son rire.

« Ne le casse pas, Steve ! s'écria sa mère. Et toi, Wally, arrête ! »

Wally cessa soudain de rire, mais pas parce que sa mère le lui avait ordonné. Il finit lentement son repas. Maintenant, son père n'allait pas se rasseoir. Ses parents parlaient de l'auberge de la Houle. Son père irait-il ce soir ? Sa mère, elle, ne voulait pas l'accompagner. Elle demandait à Steve s'il s'attendait à y rencontrer quelqu'un. Walter n'aurait pu dire s'il s'agissait d'une ou de plusieurs personnes, et il s'en moquait. Mais la colère de sa mère croissait : elle se levait à son tour, abandonnant sa pomme cuite sans y toucher.

Steve disait :

« Est-ce vraiment le seul endroit de ce...

— Tu sais parfaitement que c'est là que tu passais tes jours et tes nuits — à *cette* période-*là* ! » répliqua la mère de Walter. Elle semblait hors d'haleine.

Steve jeta un bref regard à son fils, qui baissa les yeux et repoussa son dessert sans le terminer.

Walter avait envie de se précipiter dehors, mais il resta assis quelques secondes, comme paralysé.

« Ce n'est... pas vrai, dit son père. Mais si tu veux savoir, pour ce soir... Eh bien, j'y vais ! » Il endossait une veste légère qui était posée sur une chaise.

Walter n'ignorait pas qu'ils parlaient du moment où sa sœur avait attrapé la fièvre. Une semaine ou deux auparavant, on lui avait ôté les amygdales et tout semblait bien se passer, même si elle se nourrissait encore en majorité de crèmes glacées et demeurait à la maison, puis son visage était devenu rouge. Sa mère était absente alors, car sa propre mère — grand-mère Page — était malade à Denver — un problème cardiaque — et tout le monde pensait qu'*elle* allait mourir. Elle n'était pas morte et quand la mère de Walter était revenue, Elsie se trouvait déjà à l'hôpital ; le docteur disait qu'il s'agissait d'une double pneumonie, ou, du moins, d'un cas de pneumonie très grave, ce dont, pensait Walter, personne ne mourait, mais Elsie était morte.

« Tu ne finis pas ta pomme au four, Wally ? » demanda sa mère.

« Il rêve encore tout éveillé. » Steve avait une cigarette à la bouche. « Il vit dans un univers imaginaire. Bicyclettes et cerfs-volants. » Son père s'apprêtait à franchir la porte qui menait au garage.

« Je peux m'en aller, maintenant ? » Walter se leva. « Je veux dire, dans ma chambre ?

— Oui, Wally, répondit sa mère. Il y a le feuilleton policier que tu aimes bien ce soir à la télévision. Tu veux le regarder avec moi ?

— Je ne suis pas sûr. »

Walter hocha gauchement la tête et sortit de la cuisine.

Une minute plus tard, il entendait la voiture descendre l'allée. Il quitta sa chambre et se rendit dans le living-room. Là se trouvaient des rayons de bibliothèque, la télévision, un canapé et des fauteuils. Sur l'une des étagères étaient posées deux photos d'Elsie.

Sur la plus grande d'entre elles, Elsie tenait délicatement entre ses paumes le cerf-volant violet, celui qui, un peu plus tard, avait été heurté par un oiseau. Son sourire était proche du rire et le vent rejetait en arrière ses cheveux, plus blonds que ceux de Walter. Walter aimait moins la deuxième photo, car elle avait été prise lors du Noël précédent dans un studio de photographe : Elsie et lui, endimanchés, étaient assis sur un canapé. C'est son père qui avait pris la photo du cerf-volant trois mois auparavant, dans la cour. Maintenant, Elsie était morte. Elle est « partie », avait dit quelqu'un, comme s'il était un petit garçon à qui l'on racontait des mensonges, comme si elle allait « revenir » si elle le décidait. Quand on était mort, on était mort, et être mort signifiait être tout mou et ne plus respirer, telles ces deux souris que son père avait retirées d'un piège placé sous l'évier. Les choses mortes ne bougeraient plus, ne respireraient plus jamais. C'était sans espoir, terminé. Walter ne croyait pas aux fantômes, il n'imaginait pas sa sœur en train de se promener la nuit autour de la maison, tentant de lui parler. Evidemment pas. Walter ne croyait même pas qu'il y eût une vie après la mort, quoique, lors du service funèbre d'Elsie, le prédicateur eût évoqué quelque chose de ce genre. Est-ce qu'une souris vivait après la mort ? Pourquoi le ferait-elle ? Et comment ? Qu'était cette vie, à propos ? Quelqu'un pouvait-il en parler ? Personne. Ça, c'était un univers imaginaire, songea Walter, et c'était franchement plus idiot que ses cerfs-volants, que son père qualifiait d'univers imaginaire. On pouvait toucher des cerfs-volants et, tout comme des avions, il fallait les construire correctement.

Quand il entendit les pas de sa mère, Walter se glissa dans sa chambre.

Quelques minutes plus tard, il était prêt à quitter la maison, avec un cerf-volant rouge et blanc de soixante centimètres de long et un rouleau de cordelette. Il était à peine vingt heures et il faisait encore jour.

« Wally ? » Sa mère, dans le living-room, venait d'allumer la télévision. « Tu as fini tes devoirs ?

— Bien sûr, maman. Cet après-midi. »

C'était vrai. Wally s'approcha à regret de la porte du living-room après avoir placé son cerf-volant hors de vue, dans le vestibule.

« Je sors à vélo. Juste un petit moment. »

Sa mère était installée dans un fauteuil. Elle avait ôté ses chaussures.

« Le feuilleton que tu aimes est à neuf heures, tu le sais ?

— Oh ! je serai de retour. »

Walter s'empara de son cerf-volant et fila.

Il prit sa bicyclette dans le garage et installa soigneusement le cerf-volant, enveloppé de chiffons, dans une des sacoches. Il suivit l'allée, tourna à droite dans la rue et descendit la côte en danseuse.

Ricky, un de ses camarades de classe, était devant chez lui, en train d'arroser la pelouse. « Tu vas chez Coop ? » interrogea-t-il. Il voulait parler de l'endroit où ils prenaient leurs ice-cream sodas.

« Non, je me balade simplement quelques minutes », jeta Walter par-dessus son épaule.

Il ne roulait pas sur l'or en ce moment et, de

toute façon, il n'avait aucune envie d'aller chez Cooper avec Ricky.

Le jeune garçon traversa le centre commercial de la ville, tourna à gauche et commença de grimper une longue côte. Le vent se levait. Il se mit à souffler contre lui tandis qu'il montait la colline. Les maisons se firent plus rares, puis des bouquets d'arbres apparurent. Enfin, Walter aperçut les piques de la grille de Greenhills, le cimetière où était enterrée sa sœur. Walter prit sur la droite, descendit de sa bicyclette et la tint à la main pour traverser un fossé envahi par les herbes, puis marcha un peu avant d'atteindre un endroit abrité, dissimulé aux regards par un gros arbre. Il appuya sa bicyclette à la clôture et inséra le cerf-volant et la cordelette à travers les barreaux, qu'il entreprit d'escalader. Parvenu au sommet, il se laissa tomber de l'autre côté, se saisit de son cerf-volant et se mit à courir.

Il courait pour le plaisir de courir, mais aussi parce qu'il n'aimait pas la forêt de tombes, blanches pour la plupart, qui l'entourait à présent. Il n'éprouvait à leur égard aucune crainte, ni même aucun respect. Simplement, elles étaient laides, comme autant de roches déchiquetées, capables de couper la route à quelqu'un ou de le faire trébucher. Walter zigzagua entre elles jusqu'à un monticule de terrain qui se trouvait sur sa gauche.

Quand il arriva en vue de la tombe d'Elsie, il ralentit, le souffle court. La tombe ne se trouvait pas tout à fait au sommet de la colline. Elle était en pierre blanche, un peu arrondie au sommet car un ange y était couché sur le côté, une aile légèrement dépliée. MARY ELIZABETH McCREARY, pouvait-on lire sur la pierre, à côté des dates, auxquelles Walter jeta à peine un regard. Elles ne couvraient pas dix années. Un peu plus bas était inscrit quelque chose à propos d'un « agneau recueilli ». Quelle idiotie... L'herbe n'avait pas encore recouvert l'ensemble de la tombe et l'on voyait toujours les traces des coups de pelle des fossoyeurs. L'espace d'un instant, Walter eut envie de dire : « Bonjour, *Elsie*! Tu sais, je vais essayer le rouge et blanc. Tu veux regarder ? », mais il se contint, dents et lèvres serrées. Essayer de parler aux morts, c'était aussi une idiotie. Walter posa le pied sur la petite tombe, la franchit et s'éloigna vers le sommet de la colline. Même à cet endroit des tombes occupaient le sol, mais au moins étaient-elles plates, comme si les propriétaires ou qui que ce fût qui s'en occupait refusaient de les voir se découper sur le ciel.

Walter posa son rouleau de cordelette, ôta l'élastique qui entourait la queue du cerf-volant et la dégagea. Ce cerf-volant-là, Elsie l'avait également aidé à le réaliser. Elle avait eu plaisir à découper le papier soigneusement, avec précaution, après qu'il y eût placé les marques. Une vieille chemise blanche découpée en lanières constituait la queue. Walter l'avait prise dans le sac de vieux chiffons et il se souvenait que sa mère en avait été ennuyée, car elle comptait faire les vitres avec. Walter s'élança contre le vent et le cerf-volant eut un soubresaut prometteur. Il s'immobilisa et le fit monter en donnant de la cordelette. Le cerf-volant s'élançait! Pourtant, Walter avait été rien moins qu'optimiste, car le vent était peu favorable aujourd'hui. Il lâcha un peu plus de cordelette. Un frisson de joie le parcourut : le cerf-volant, tel un être vivant dans le ciel, commençait à tirer sur ses doigts. Un courant ascendant le propulsa et manqua l'arracher à Walter.

Un sourire aux lèvres, Walter recula, buta sur

l'emplacement d'une tombe, roula et bondit de nouveau sur ses pieds. Il tenait toujours la cordelette. « Que penses-tu de ça, Elsie ? » Il voulait parler du cerf-volant qui se trouvait tout là-haut. Le vent rabattit ses cheveux sur son front et ses yeux. Un peu honteux d'avoir parlé si fort, il se mit à siffler. Cet air, il avait l'habitude de le siffler ou de le fredonner avec Elsie pendant qu'ils ponçaient les baguettes de baumier, mesuraient, découpaient. Il était de Tchaïkovsky et ses parents avaient le disque.

Walter cessa brutalement de siffler. Il tira sur le cerf-volant, qui vint à regret, puis plongea sur quelques mètres. Il rembobina plus rapidement et courut pour le récupérer. Le cerf-volant n'avait pas atterri dans les arbres. Il était intact.

Lorsque Walter remonta sur sa bicyclette, la nuit tombait. Il alluma les feux de son vélo. Le feuilleton policier dont lui avait parlé sa mère ne serait pas encore terminé, mais il n'avait aucune envie de le regarder. Il passa devant l'auberge de la Houle. Sans doute son père s'y trouvait-il, devant une chope de bière, mais il n'accorda pas un regard aux voitures garées en face. Sa mère accusait son père de voir ou de rencontrer quelqu'un à cet endroit. Une fille, bien sûr, ou une femme. Walter n'aimait pas y penser. Cela le regardait-il ? Non. Sa mère pensait que son père avait passé tout son temps libre à l'auberge, ou ailleurs, avec « cette femme », pendant qu'Elsie était aux prises avec la fièvre, et n'avait donc pas pris soin de sa fille. Cela, il le savait aussi. L'atmosphère de la maison en avait été empoisonnée. C'est pourquoi Walter passait, lui, beaucoup de temps dans sa chambre et ne tenait plus autant qu'avant à regarder la télévision.

Walter posa sa bicyclette à l'intérieur du

garage, contre le mur — la voiture n'était pas rentrée — et éteignit ses feux. Il prit son cerf-volant et la cordelette et rentra tranquillement dans la maison par la porte de derrière. Sa mère était dans le living-room, devant la télévision. Si elle l'entendit pénétrer dans sa chambre, elle n'en manifesta rien. Walter ferma la porte, alluma le plafonnier. Il replia la queue du cerf-volant, l'entoura d'un élastique et posa le cerf-volant dans un coin, à côté de deux ou trois autres. Puis il rapprocha sa chaise de son bureau afin de dégager le sol, balaya de nouveau et ôta ses tennis. Il se sentait dans des dispositions idéales pour découper le papier de riz nécessaire à la fabrication du grand cerf-volant. Pieds nus, il alla prendre le rouleau de papier, l'étendit sur le sol et en déroula soigneusement une longueur. Le papier de riz était très solide, avait-il lu dans un tas de livres sur les cerfs-volants. Avec sa grande taille, celui-ci devrait bien entendu être super-solide, car il offrirait au vent une surface importante et un vent fort transpercerait un papier léger aussi sûrement que l'oiseau avait traversé son cerf-volant plus petit.

Sur sa table, Walter prit sa liste de mesures, un mètre métallique, une règle et un morceau de craie bleue. Il mesura et reporta à la craie sur le papier la partie droite du cerf-volant. Quand il eut découpé le papier du bas jusqu'au milieu, un flot d'orgueil ou peut-être de peur l'envahit. Un si grand cerf-volant ne décollerait vraisemblablement pas du sol, ou du moins il n'irait pas loin. Dans ce cas, Walter ravalerait sa déception, en espérant que personne ne le regarderait à ce moment-là. En attendant, tout en sifflotant doucement, il découpa le papier selon la ligne supérieure, puis plia soigneusement le triangle au long de la ligne centrale tracée à la craie bleue. Il dessina ensuite le triangle du côté gauche.

Sa mère avait baissé ou arrêté la télévision et parlait maintenant au téléphone. « Demain soir, *sûr*, hein ? » disait-elle de sa voix haut perchée. Elle émit un petit rire. « Tu as intérêt... Bâtie *et* cousue. Je sais que c'est maintenant... Comment ? »

Elle parlait probablement à son amie Nancy, qui faisait beaucoup de couture. Sa mère coupait des manteaux et des robes. Elle aimait à répéter que c'était un passe-temps, mais cela lui rapportait de l'argent. *La coupe est toujours l'opération la plus importante*, disait-elle. Walter y pensait tout en coupant le papier avec la plus grande sûreté possible, suivant les marques. Ce que Walter aurait aimé faire, à part un bon cerf-volant, c'était écrire un bon poème, pas du tout du genre de ceux que le professeur demandait à la classe de rédiger de temps en temps. « Racontez une promenade dans les bois... Un orage en été... » Non. Walter avait envie d'écrire quelque chose de bien sur un cerf-volant dans les airs, par exemple, sur ses pensées à lui, *lui-même* là-haut avec le cerf-volant, sur ses yeux, également, capables de capter le monde entier au-dessous de lui et l'espace au-dessus. Walter avait essayé à deux ou trois reprises d'écrire un tel poème, mais en lisant le fruit de ses efforts le lendemain, il ne l'avait plus trouvé si bon que cela et l'avait mis au panier. Il avait toujours l'impression que ces poèmes étaient destinés à sa sœur, mais c'était parce qu'il voulait, parce qu'il aurait voulu qu'elle apprécie ses écrits et, peut-être, lui adresse un mot de félicitation.

On frappa à la porte et Walter sursauta. Il retira les ciseaux du papier, se reposa sur ses talons et demanda : « Oui ? »

Sa mère ouvrit la porte, souriante, contempla le papier sur le sol, puis regarda Walter :

« Wally, il est plus de dix heures.

— C'est demain samedi...

— Que fais-tu avec ça ?

— Euh... c'est du papier pour un cerf-volant.

— Un seul ? Aussi grand que ça ? »

Elle promena son regard sur le découpage, qui allait presque du mur du fond au seuil sur lequel elle se trouvait.

« Tu veux dire que tu vas le plier ?

— Oui », répondit platement Walter.

Il sentait bien que sa mère n'était pas vraiment intéressée et se bornait à lui faire la conversation. Son visage aux contours carrés avait l'air las, soucieux, ce soir, malgré son sourire.

« Où es-tu allé ? Jusqu'à chez Cooper ? »

Walter eut la tentation de répondre que oui, mais il se contenta de dire :

« Non, j'ai juste fait un petit tour. Nulle part en particulier.

— Bon. Pense maintenant à te coucher.

— O.K., maman. »

Sa mère partie, Walter termina son découpage. Il posa sur sa table le long morceau de papier légèrement plié en deux et plaça dans un coin ce qui restait du rouleau. Il avait hâte d'être à demain pour assembler les baguettes et encoller le papier et, plus encore, d'être à dimanche pour essayer le cerf-volant, si le vent était favorable.

Plusieurs heures plus tard, la voiture de son père l'éveilla en faisant crisser le gravier. Il ne bougea pas. Il se contenta d'ouvrir puis de refermer paresseusement les yeux. Demain. Le grand cerf-volant. Qu'importait si ses parents se disputaient, si sa mère et ses amies jacassières passaient toute la soirée penchées sur des patrons dans le living-room — et dans la chambre d'Elsie que sa mère avait récemment transformée en « atelier » pour elle. Elle nommait même ainsi cette pièce, désormais. Walter pouvait parfaitement se couper de tout cela.

« Il ne volera jamais. Tu espères faire *voler* ça ? »

Son père regarda le grand cerf-volant et émit un gloussement. C'était le samedi, dans la cour, juste après le déjeuner.

Walter sentit une bouffée de chaleur envahir son visage.

« Non, dit-il, déconcerté, c'est juste pour m'amuser. Pour la décoration », ajouta-t-il.

C'était un mot que sa mère utilisait fréquemment.

Son père, les yeux injectés de sang, acquiesça de la tête et s'éclipsa, une canette de bière à la main, non sans lui avoir lancé par-dessus son épaule : « Wally, il me semble que tu commences à être obsédé par les cerfs-volants... Comment cela marche-t-il à l'école, en ce moment ? Tu vas avoir bientôt tes examens de fin d'année, non ? »

Walter, un genou dans l'herbe, se raidit.

« Oui. Pourquoi ne demandes-tu pas à maman ? »

Son père disparut en direction de la maison. La question sur son travail scolaire blessait Walter autant que la remarque sur le cerf-volant. Il était premier en maths, sans effort, et second en anglais, derrière Louise Wiley qui était presque un génie. Walter se replongea dans son encollage. D'ailleurs, quand donc son père avait-il regardé son carnet scolaire pour la dernière fois ? Il poussa son cerf-volant en direction de la clôture. L'angle que formait cette clôture de bambou était l'endroit le plus abrité du vent. L'herbe, bien que courte et égale, ne constituait pas un plan de travail aussi pratique que le sol de sa chambre, mais le cerf-volant était trop grand à présent pour tenir à plat dans la pièce. Walter maintint le cerf-volant par terre avec des pierres de la taille d'une orange empruntées à une bordure et qu'il avait l'intention de restituer. La brise et le soleil feraient prendre la colle plus rapidement. Tout au moins Walter l'espérait-il. Il avait envie d'oublier les réflexions de son père et de profiter du reste de l'après-midi.

Pourtant, il y avait encore quelque chose de désagréable : ils allaient prendre le thé chez grand-mère McCreary. Sa mère le lui avait dit. Aurait-il oublié ? avait-elle ajouté. Oui, il avait oublié. Cette grand-mère-là s'appelait Edna et Walter l'aimait moins que grand-mère Page — Daisy — celle qui avait failli mourir d'une crise cardiaque. Walter alla mettre des vêtements plus habillés.

Ils arrivèrent chez Edna vers seize heures. Elle habitait, à une vingtaine de kilomètres de chez eux, une maison sur la côte, avec vue sur l'océan.

« Tu as encore grandi de quelques centimètres, Wally ! » s'exclama Edna, tout en s'agitant autour du plateau sur lequel était posée la théière.

C'était faux, évidemment. Walter n'avait pas grandi depuis sa dernière visite à Edna, un mois auparavant. Il se faisait du souci pour son cerf-volant. Il avait dû l'introduire avec mille précautions dans sa chambre et l'appuyer contre son bureau. Et si la colle n'avait pas suffisamment pris ? Si quelque chose n'allait pas, que le papier soit inutilisable ? Il ne lui en restait pas assez pour une seconde tentative. Ces pensées, ajoutées à l'inconfort du living-room de sa grand-mère, encombré de magazines et où il n'y avait plus la moindre place pour poser quoi que ce soit, firent que Walter laissa tomber son assiette, qu'il tenait sur ses genoux serrés. Une coulée de glace à la vanille se répandit sur le tapis, suivie et non pas précédée, hélas, par une tranche de gâteau marbré.

Sa mère grogna.

« Wally, tu es si empoté... quelquefois...

— Je suis vraiment désolé », dit Walter.

Son père gloussa discrètement. Il venait de se verser quelques doigts de scotch dans un verre.

Walter s'affaira. Il passa l'éponge, changea l'eau du récipient que sa grand-mère avait apporté et nettoya l'endroit une deuxième fois. C'était d'ailleurs plus amusant de remuer que de rester assis.

« Tu es bien serviable malgré tout, Wally, dit Edna. C'est gentil, merci. »

Elle lui prit l'éponge et le récipient des mains. Ses ongles étaient vernis de rose et elle dégageait un parfum que Walter n'aimait pas. L'extrême blondeur de ses cheveux était due à la teinture, il ne l'ignorait pas.

« Sa sœur lui manque », murmura sa mère entre ses dents tandis qu'elle accompagnait Edna dans la cuisine.

Walter fourra les mains dans ses poches, tourna le dos à son père et alla examiner une rangée de livres. Il refusa un supplément de glace et de gâteau. Plus tôt ils partiraient, mieux ce serait. Il fallut pourtant encore aller examiner en file indienne les rosiers d'Edna, dont les fleurs jaunes, roses et rouges commençaient à éclore au-dessus d'une terre noire et humide, fraîchement retournée. Il y eut d'autres marmonnements, puis sa mère dit quelque chose à propos de cerfs-volants, tandis que son père allait se servir un second scotch dans le living-room.

Il était plus de dix-huit heures quand ils rentrèrent chez eux. Walter alla sur-le-champ, mais pas trop rapidement pour ne pas provoquer de nouvelles remarques, vérifier si tout allait bien pour le cerf-volant. Il découvrit deux petits interstices entre bois et papier, y mit un point de colle et, debout sur sa chaise pour les atteindre, les maintint serrés entre ses doigts pendant plusieurs minutes.

Un bourdonnement sinistre s'éleva dans le living-room. Ses parents se disputaient à nouveau. « Je n'ai pas *dit* ça ! » Cette fois, c'était au tour de son père de prononcer ces paroles.

Lorsqu'à ses yeux la colle fut suffisamment solidifiée, Walter descendit de sa chaise, remit ses jeans et ses tennis et commença à constituer la queue du cerf-volant. Il espérait qu'une longueur de deux mètres cinquante suffirait. C'était le poids, non la longueur qui comptait. Il avait acheté deux gros rouleaux de cordelette de nylon, légère et solide à la fois, qui mesuraient chacun trois cents mètres de long. En effectuant cet achat, il s'était montré terriblement optimiste, il s'en rendait maintenant compte, mais il avait envie, pourtant, d'aller jusqu'à attacher l'extrémité d'un des rouleaux à celle de l'autre. Il pouvait en mettre un dans chaque sacoche. Quant au cerf-volant, il devrait le tenir d'une main tout en pédalant. Walter coupa quatre sections et les attacha aux quatre baguettes de bois (déjà encochées dans ce but) au dos du cerf-volant, joignit les quatre extrémités et attacha le tout au départ de la cordelette de nylon. Il dévida ensuite ce qu'il jugea être deux cents mètres et y fixa, avec une autre longueur de cordelette, un solide bout de bois d'une vingtaine de centimètres de long. C'était cela qu'il garderait en main, si le cerf-volant venait à monter très haut; il était d'ailleurs plus facile de tenir un bâton que de la cordelette. Il refit la même opération en plaçant deux bouts de bois à intervalles réguliers, puis décida que c'était assez.

La pluie menaçait la soirée. Des nuages et des coups de vent. Mais demain, qu'en serait-il? Il contempla son cerf-volant, qui tenait verticalement, à présent, la pointe touchant presque le plafond, bien qu'il fût posé obliquement contre la table, et il se mordit la lèvre. Les longues baguettes de baumier étaient superbes, parfaitement lisses. Marquerait-il dès maintenant « Elsie » à l'aquarelle sur le cerf-volant? Non, c'était trop tôt; cela lui porterait malheur. C'était comme de se vanter. Son cœur battait plus vite qu'à l'accoutumée. Walter détourna son regard du cerf-volant.

Dès le lendemain matin, cependant, encouragé par le brillant soleil dominical et le vent fort et régulier, Walter inscrivit le mot « Elsie » à l'aquarelle bleue sur le cerf-volant. Il avait plu durant la nuit. Le vent venait principalement du sud. Walter enfourcha sa bicyclette vers dix heures. Son père n'était pas encore levé; sa mère et lui avaient pris ensemble leur petit déjeuner. Elle avait l'air un peu endormi car Louise et une autre de ses amies étaient venues la veille après dîner et elles étaient restées tard.

« Ah! dis donc, *le monstre!* » Ricky se tenait de nouveau sur sa pelouse.

A cet instant, Walter dut descendre de bicyclette pour assurer une meilleure prise à son cerf-volant. Il le tenait par un nœud coulant tout en pédalant, mais la pointe risquait à tout moment de toucher le sol et le moindre vent faisait vaciller le vélo. Un peu embarrassé, Walter essaya de resserrer le nœud sans endommager le cerf-volant.

Ricky, à qui il n'avait pas adressé la parole, s'approcha :

« C'est pas possible qu'un truc pareil vole, Walter ! Ça va se déchirer...

— Et après ? rétorqua Walter. Mais d'abord, pourquoi est-ce que ça se déchirerait ?

— Ce n'est pas assez solide, je parie. Même s'il arrive à monter, le vent va en faire des confettis. Et dire que tu crois tout savoir sur les cerfs-volants ! » Ricky eut un petit sourire supérieur. Il était en train de muer et, depuis quelque temps, Walter avait l'impression qu'il essayait de le traiter comme un petit.

« De toute façon, c'est mon problème. »

Walter enfourcha de nouveau son vélo.

« Salut, Ricky ! »

Ricky tenta de le suivre.

« Eh ! où vas-tu ?

— Je ne sais pas encore. Nulle part, peut-être ! »

Walter entamait déjà avec précaution la descente vers le centre commercial.

Il savait qu'il devrait bientôt marcher, sa bicyclette à la main, car le cerf-volant prenait tellement le vent qu'il ne pouvait plus contrôler son vélo. Il y avait seulement deux collines à une distance raisonnable, Greenhills, où il ne voulait pas se rendre, et la colline derrière chez Cooper. C'était vers elle qu'il se dirigeait. Il roulait bien à droite et tenait le cerf-volant également à droite, pour voir parfaitement les automobilistes dont certains riaient en le doublant, ou lui lançaient quelque chose qu'il ne saisissait pas.

Il arriva enfin au pied de la colline. L'herbe recouvrait le sentier. Tête baissée, maintenant le cerf-volant près de son vélo, Walter avança contre le vent.

Une fois au sommet, il coucha sa bicyclette dans l'herbe, s'assit et posa le cerf-volant à côté de lui. De là, il avait une vue splendide : des petites maisons blanches, des pelouses vertes, des rues grises et, au-delà, l'azur du Pacifique qui disparaissait à l'horizon dans une brume. Un avion arrivait du nord. Il était encore haut dans le ciel, car il allait atterrir plus au sud, à Los Angeles, mais il prenait déjà le vent, qui soufflait toujours du sud. Walter se leva.

Hou, hou, disait le vent dans ses oreilles. Le son était chaleureux, amical, plus gentil qu'une voix humaine.

Il libéra la cordelette et se mit en position de courir quelques mètres pour lancer le cerf-volant, mais ce ne lui fut pas nécessaire. Le cerf-volant monta aussitôt, vers le nord. Au début, la queue claqua furieusement, la pointe lui fit face tandis que le cerf-volant prenait horizontalement le vent, puis la queue le fit se redresser et la cordelette glissa entre les mains de Walter, qui la tint à deux mains et la laissa filer pendant une minute. Le cerf-volant volait merveilleusement. Walter n'avait nullement besoin de le manipuler.

Youpii! hurla-t-il dans le vent. Il n'y avait personne près de lui pour écouter, pour regarder, pour poser des questions, ni même pour admirer. Afin de contrebalancer la traction du cerf-volant, Walter s'arc-bouta de toutes ses forces. Le cerf-volant rose en forme de diamant se trémoussait maintenant d'un petit air heureux sur le bleu du ciel et grimpait toujours plus haut. Walter lâcha encore de la cordelette. Quand il sentit le premier bâton lui bondir dans la main, il s'y accrocha.

Comme c'était amusant ! Il pouvait tirer violemment ou doucement, sentir alors la traction du cerf-volant aller en s'accentuant, le hissant quelques dizaines de centimètres au-dessus du sol, jusqu'à ce que, à force de s'arrimer au bâton, il réussisse à toucher de nouveau le sol. Il était un vrai partenaire pour le cerf-volant. Cette pensée l'excitait.

En bas, au niveau de la ville, un chien aboya. Le cerf-volant paraissait maintenant aussi petit qu'un cerf-volant ordinaire, car il se trouvait extrêmement haut. Walter tira de toutes ses forces en arrière, jusqu'à ce que son dos touchât le sol. Alors, lentement, doucement, le cerf-volant le souleva de terre. Walter chercha du pied un appui. En vain : dans une poussée joyeuse mais puissante, comme s'il faisait un petit signe, le cerf-volant l'entraîna. Walter volait.

Il jeta un regard derrière lui. Le rouleau de cordelette dansait dans l'herbe, se déroulait, à côté du second rouleau encore immobile. Puis le nylon frémit, le bâton pivota et Walter vit les arbres de la colline qui rapetissaient au-dessous de lui. Une vallée inconnue s'ouvrit à ses yeux, avec une petite voie ferrée qui y serpentait. Walter retint quelques instants sa respiration. Devait-il avoir peur, ou non ? Ses bras s'accrochaient confortablement au bâton. Sous lui, il y avait le second bâton attaché à la cordelette. Il essaya de le saisir avec ses pieds, le manqua à plusieurs reprises, réussit enfin.

A présent, il pivotait de nouveau. Il pouvait voir, au sud-ouest, la ville où il vivait, la tache blanche, sur une montée verte, de chez Cooper. *La ville où il vivait !* Quelle bizarre impression cela faisait d'y penser en glissant dans les airs tel un oiseau, tel un cerf-volant.

« Eh, regarde ce qu'... » Le reste de la phrase se perdit dans le lointain.

Walter aperçut deux silhouettes en pantalon qui le montraient du doigt.

« Qu'est-ce... *fais là ?* » hurla l'une d'elles.

Walter resta silencieux, comme s'il ne pouvait pas répondre. S'il ne répondait pas, c'est qu'il ne voulait pas, en fait. Il leva les yeux, tira sur le cerf-volant rose, à l'aise maintenant, le sentit qui s'élevait. Walter tenta de l'orienter plus vers la droite, vers l'est, mais il n'y parvint pas avec cette longueur de nylon. Le cerf-volant semblait savoir où il allait. Walter vit l'un des deux hommes qui se trouvaient au sol courir sur le fil gris de la route comme un insecte, une fourmi peut-être. Il se sentait dans une atmosphère infiniment plus belle. De temps à autre, la cordelette de nylon murmurait harmonieusement dans le vent. Elsie aurait aimé cet envol. Walter n'avait pas la bêtise de penser que l'« esprit » d'Elsie pouvait l'accompagner, mais elle avait son nom sur le cerf-volant, il avait en quelque sorte l'impression d'être près d'elle et, un court instant, il se demanda si elle pouvait se rendre compte qu'il volait, porté par un cerf-volant ? Même les nuages blancs paraissaient proches. Ils se chevauchaient comme des moutons effrayés.

Et l'océan... Walter jouissait à présent du spectacle de son infinité bleue qui s'ouvrait lentement devant lui. Un long bateau blanc à voiles se dirigeait vers le sud, vers Acapulco, peut-être.

« Et si nous allions à Acapulco, Elsie ? » interrogea Walter à voix haute, puis il se mit à rire.

Il tira en direction du sud, en direction de l'ouest, mais le cerf-volant continuait vers le nord-est. Sous Walter défilaient des rangées d'arbres fruitiers, peut-être des orangers, et un bâtiment bas dont le toit réfléchissait le soleil. Des voitures avançaient, telles des coccinelles. Des gens semblaient déjeuner au bord de la route. Le regardaient-ils? Certains paraissaient le montrer du doigt.

« ...un *gosse*, pas un homme », entendit-il.

« Hé! peux-tu faire *redescendre* cet engin? »

Walter remarqua que l'un d'eux avait des jumelles, qu'il passa à un autre. Il glissa au-dessus d'eux, immobile, les mains serrées sur un bâton, ses pieds chaussés de tennis sur l'autre.

« C'est vraiment un *gosse*! Pas un mannequin! Regardez! »

Au-dessus d'autres vergers, le cerf-volant prit un courant ascendant et partit vers le nord. Un oiseau semblable à un petit aigle dépassa Walter sur sa droite, comme pour le dévisager d'un air curieux, puis, d'un léger mouvement d'ailes, il s'éleva dans le ciel et disparut.

Walter entendit le bruit d'un moteur. Il pensa qu'il s'agissait de l'avion qu'il voyait arriver du nord-est, puis se rendit compte qu'il était beaucoup trop loin pour être audible. Le son provenait de derrière lui. Il regarda. C'était un hélicoptère qui se trouvait à un bon kilomètre, plus bas que lui. Il leva fièrement les yeux vers son cerf-volant. A cette distance, il ne pouvait en être certain, mais il pariait que chaque millimètre de papier tenait parfaitement au bois, que la longueur de la queue était idéale. Son œuvre! C'était maintenant le moment de composer un poème pour sa sœur.

Dans ton papier magique le vent chante
J'ai fait un oiseau que les oiseaux aiment...

« *Hé là!* » La voix lui parvint à travers les vibrations de l'hélicoptère.

Walter sursauta en voyant que l'hélicoptère se trouvait au-dessus de lui, dans son dos.

« Allez-vous-en », hurla-t-il et il appuya ces paroles d'un froncement de sourcils, car il ne pouvait lâcher une main pour les éloigner d'un geste. Il n'avait pas envie que les pales de l'hélicoptère endommagent la cordelette ou, pire, la sectionnent. Deux hommes se tenaient dans l'hélicoptère.

« Comment vas-tu faire pour redescendre? Tu peux le faire *descendre*?

— Bien sûr!

— Tu en es certain? Comment? »

L'homme avait des lunettes d'aviateur. Le toit de verre de l'habitacle était ouvert et l'hélicoptère faisait du sur-place. Quelque chose comme « Sky Patrol » était inscrit sur son flanc. C'était peut-être la police.

« Tout va bien! *Allez-vous-en!* »

Brusquement, Walter avait peur d'eux, comme s'ils étaient des ennemis.

A présent, il pouvait voir plus de gens sur le sol; ils étaient une vingtaine qui regardaient en l'air. Non, il ne voulait pas descendre, il ne voulait pas retourner dans sa famille, il ne voulait pas rejoindre sa chambre!

Dans la cabine de l'hélicoptère, les deux hommes hurlaient une phrase où il était question de le hisser auprès d'eux.

« Laissez-moi tranquille, tout va *bien*! » criat-il, à bout de patience, car il les voyait tirer des sections d'un objet qui ressemblait à une longue canne à pêche. Il supposa qu'il y avait un crochet au bout, semblable à un grappin, et qu'ils allaient essayer de viser avec la cordelette de nylon, qui filait derrière lui, en deçà de ses pieds.

« ... *au-dessus!* »

Le vent lui apporta la voix de l'un des deux hommes. Un instant après, l'hélicoptère s'éleva, dépassant, peut-être, le niveau de son cerf-volant.

Walter était furieux. Allaient-ils attaquer son *cerf-volant*? Il empoigna la cordelette d'un air belliqueux, mais elle était si longue que la forme rose oscilla à peine.

« Ne *touchez* pas à ça! » hurla Walter, maudissant le vrombissement qui avait dû couvrir ses paroles. « *Imbéciles!* » continua-t-il.

Les larmes l'aveuglèrent. Il cilla, regarda au-dessus de lui. Oui, c'était bien ça : ils tentaient d'atteindre la cordelette un peu au-dessous du cerf-volant; du moins, c'est ce qu'il lui semblait.

Si le cerf-volant s'élevait brusquement, il heurterait les pales et serait lacéré. Ces imbéciles ne le comprenaient-ils pas? La longue perche apparut à la droite de l'hélicoptère, puis s'abaissa. Le soleil éblouissait Walter et ne lui permettait pas de voir s'il y avait un crochet au bout. Par-dessus le vacarme de l'hélicoptère, il entendait les gens au sol qui hurlaient, riaient, criaient des conseils. Walter s'obstina pourtant :

« Allez-vous-en, *s'il vous plaît*! Allez-vous-en... en! »

L'hélicoptère était toujours plus haut que le cerf-volant. Apparemment, l'homme était parvenu à agripper la cordelette et il tentait de l'attirer à lui à petits coups. Le cerf-volant oscillait follement, comme s'il était aussi furieux que Walter. Un rugissement s'éleva alors des spectateurs. Au même instant, Walter vit son cerf-volant se plier en deux. La tige transversale avait cassé, sous la poussée de cet abruti.

Arrêtez! Pendant une seconde ou deux, le cerf-volant, plat et replié, fut presque invisible, puis il s'ouvrit, mais dans le mauvais sens, semblable à un oiseau aux ailes brisées. Il battit dans le vent, bondit à plusieurs reprises, sans résultat, tandis que la perche attirait la cordelette vers l'hélicoptère.

C'est alors que Walter se rendit compte qu'il avait basculé vers l'avant et perdait rapidement de l'altitude. Terrifié, il serra plus fort son bâton. Maintenant, le sol, les arbres se précipitaient à sa rencontre, de plus en plus vite.

Un cri, un grognement semblable à un gros soupir montèrent des spectateurs qui se rapprochaient de Walter, un peu sur sa droite. Walter s'écrasa parmi des branchages; ils perforèrent son corps et lacérèrent sa chemise. Affolé, il hurla :

« *Elsie!* »

La tête en bas, il heurta une grosse branche qui lui fracassa le crâne, puis il glissa, inerte, au long des quelques mètres qui le séparaient du sol.

UN MEURTRE

Titre original de la nouvelle
A MURDER

L'AFFAIRE était relatée dans les journaux locaux et dans le *New York Times* par un entrefilet de quelques lignes :

« Un sculpteur de vingt-cinq ans, Robert Lottman, a tué sa femme Lee, vingt-trois ans, en la frappant à la tête à coups de rouleau à pâtisserie dans la cuisine de leur maison près de Bloomington (Indiana). Leur fille Melinda, âgée de deux ans, qui se trouvait dans la cuisine au moment du meurtre, a été découverte indemne dans son lit par la police que Lottman avait appelée. »

Robert Lottman se remit calmement entre les mains de la police, qui le conduisit en prison. Son comportement était décrit par un journaliste comme « calme » et par un autre comme « froid et indifférent ».

La petite Melinda fut envoyée sur-le-champ chez sa grand-mère Evelyn Watts, d'Evanston (Illinois). Mme Watts ne parvenait pas à croire à l'acte de son gendre. Jusqu'alors, elle appréciait beaucoup Robert Lottman. Elle était certaine qu'il aimait sa fille. Elle ne pouvait imaginer aucune raison à ce meurtre. Jamais, auparavant, elle n'avait vu Robert perdre son sang-froid. Il ne buvait pas, ne se droguait pas. Que s'était-il donc passé?

Dans la prison de Bloomington, les psychiatres — ils étaient deux — posaient les mêmes questions. Ce n'était pas qu'ils fussent particulièrement intéressés, mais l'interrogatoire psychiatrique faisait partie des formalités obligatoires.

« Je l'ignore, répondit Robert Lottman. Je l'aimais, oui, je l'aimais. »

De dire cela à des psychiatres officiels le révulsait, mais en fait cela ne l'engageait guère. Aurait-il épousé Lee s'il ne l'avait aimée?

« Vous vous disputiez? » demanda l'un des psychiatres.

C'était plus une affirmation qu'une question.

« En êtes-vous venus aux mains? »

Cela, c'était une question.

« Non, jamais », répondit Robert.

Il regarda l'homme droit dans les yeux.

« Alors, pourquoi avez-vous fait cela? » Une longue pause. « Dans un accès de colère? »

Robert resta silencieux, mal à l'aise. Il n'avait pas à répondre, il le savait. Puisqu'il avait admis avoir porté les coups fatals, qu'importait que ce fût au cours d'une dispute, dans un accès de colère ou non?

« Je n'étais pas en colère », dit-il enfin, espérant ainsi les satisfaire et les éloigner.

Il y avait quelque vingt minutes qu'il était soumis à leur interrogatoire.

Le psychiatre qui avait les cheveux bruns dit à Robert :

« Voyez-vous, si votre femme et vous aviez eu une dispute — au sujet de n'importe quoi — ce serait un homicide. C'est moins grave qu'un meurtre prémédité.

— Ecoute, Stanley, personne ne parle de préméditation. Pas encore. C'est une affaire domestique... »

Robert avait envie de les faire taire tous les deux. Las et ennuyé, il secoua la tête. Peut-être les psychiatres jugeaient-ils ce mouvement comme « évasif ». Robert ne se sentait pas le moins du monde évasif. Il méprisait les hommes qui se tenaient devant lui et le questionnaient. Il avait son orgueil. Il ne leur dirait pas pourquoi il avait tué Lee. Ils ne comprendraient sans doute pas. Ils ne semblaient pas du genre à en prendre le temps. Peut-être, en revanche, l'écrirait-il. Mais pour qui ? Pas pour la cour, évidemment. Pour lui seul ? Ce n'était pas impossible. Robert était un sculpteur, pas un écrivain, mais il pouvait exprimer clairement sa pensée avec des mots, s'il le souhaitait.

« Nous cherchons à vous aider de notre mieux avant le... euh... le procès, dit l'un des psychiatres.

— Verdict. Avant le verdict », dit l'autre.

L'aider ? Quelle importance ? Robert ne répondit pas.

« Vous vous moquez du verdict ? reprit l'homme aux cheveux bruns.

— Exactement. Je m'en moque.

— Il y avait un autre homme ? interrogea, du ton de celui qui attend une réponse positive, l'autre psychiatre, rondouillard et presque chauve.

— Non. Je l'ai déjà précisé. » Combien il l'avait souhaité, cet autre homme ! « Cela ne suffit-il pas ? Je ne crois pas que je puisse vous en dire plus. »

Quelques instants plus tard, il était libéré ; du moins de ces deux-là. Un gardien entra et le raccompagna jusqu'à sa cellule. Robert ne lui prêta aucune attention. Il n'avait pas l'intention de filer par l'une des portes, dont deux donnaient sur un parking. La prison ne semblait ni sinistre, ni ultra-gardée; c'était juste une prison.

L'esprit de Robert était occupé par cet *autre homme.* Il n'y avait pas eu d'autre homme. C'était bizarre, d'ailleurs, compte tenu que Lee avait un succès fou quand Robert l'avait rencontrée.

De retour dans sa cellule, il pensait encore à ce succès qu'avait Lee. Au moment de leur rencontre, elle avait vingt ans et étudiait les beaux-arts à Chicago. Il s'était rendu au Reinecker Art Institute, à la recherche d'un job à temps partiel : des cours de sculpture deux ou trois matinées par semaine. Il avait des recommandations de l'Association des étudiants des Beaux-Arts à New York et d'une académie de Brooklyn moins connue, mais qui lui avait décerné un premier prix. Le Reinecker Institute, toutefois, cherchait un professeur pour cinq matinées par semaine, de neuf à douze. La proposition était ferme. Robert avait hésité, disant qu'il allait réfléchir. Cela n'avait pas paru inhabituel. En sortant du bureau du directeur, au bas de la volée de marches du hall, il avait rencontré Lee qui montait.

Il ne l'avait pas rencontrée au sens usuel du terme. Lee était encadrée par deux jeunes gens, avec lesquels elle bavardait, mais leurs regards s'étaient croisés un instant. Robert s'en souvenait comme si cela avait été fixé sur une photographie qu'il aurait gardée sur lui. Blonde, les yeux bleus, Lee n'était pas très grande. Elle portait un pantalon beige et une chemise ou un chemisier bleu pâle. Robert avait fait demi-tour, l'avait suivie. Elle avait un doux visage ovale, un front haut, arrondi, assez proéminent. Le plus important, dans son visage, c'était ses yeux, intelligents, évaluateurs, réfléchis. Qui ne les aurait suivis ? se demandait Robert. Tandis qu'il marchait dans le couloir derrière le trio, Lee s'était retournée une fois, consciente qu'il la suivait. Les jeunes gens qui l'accompagnaient ne voyaient qu'elle. Ce ne serait pas la seule fois où Robert aurait à s'apercevoir de ce genre de chose. Mais Lee s'était arrêtée et l'avait regardé.

Salut, avait dit Robert, comme pétrifié. Est-ce que les autres n'avaient pas reculé d'un pas, pétrifiés également devant le coup de foudre ? Robert n'en était pas certain. Il était parvenu à marmonner quelque chose, qu'il aimerait la prendre pour modèle, ce qui était la vérité, outre le fait d'être soudain tombé amoureux d'elle. « Vous étudiez ici ? » Peut-être avait-il dit une phrase de ce genre. Quoi qu'il en soit, Lee avait répondu qu'elle avait cessé d'étudier la peinture et qu'elle allait quitter l'institut pour une école de photographie, quelque part ailleurs. Robert avait extrait un crayon et son petit carnet d'esquisses d'une poche, noté le nom et l'adresse de Lee, puis lui avait donné les siens. Elle avait le téléphone. Elle vivait avec sa mère à Evanston.

Il lui avait plu, c'était là le plus important, suffisamment pour qu'elle lui confie tout cela. Et tout aussi soudainement, elle marchait auprès de lui au long du couloir crème aux portes closes, aux murs constellés de bulletins d'information et d'affiches. Les deux jeunes gens s'étaient évanouis, à moins qu'ils ne fussent plantés derrière eux dans le couloir, stupéfaits.

Ensuite, tout avait mal tourné.

Assis sur son lit, c'est ce que pensait Robert : *tout avait mal tourné.* En fait, ces mots se rapportaient à deux périodes différentes : juste après sa rencontre avec Lee et au cours des semaines passées. Entre-temps, trois ans s'étaient écoulés.

Au cours de la première période, qu'on pouvait

qualifier de mauvaise ou d'incertaine, tout de suite après la rencontre, Robert avait l'impression qu'il effrayait Lee. Elle refusa ses rendez-vous, lui écrivit un billet ambigu : voulait-elle vraiment le revoir ? Robert habitait à une quarantaine de kilomètres d'Evanston. L'un des jeunes gens qui accompagnaient Lee lors de leur rencontre était toujours dans la course. Cela, Robert l'avait découvert durant son premier rendez-vous avec elle. Lee avait dû se débarrasser du garçon, poliment mais fermement; il était sorti de la maison de la mère de la jeune fille — qui était divorcée — en adressant à Robert une grimace dont le sens était : « Tu perds ton temps, l'ami. » Quand, après dîner, Robert avait raccompagné Lee chez elle, elle lui avait montré ses dessins, quelques peintures, un peu moins bonnes que les dessins, et le fruit de ses récents efforts photographiques. Robert fut impressionné. Beaucoup étaient le portrait de nombreuses personnes de tous âges qu'elle connaissait. Elle avait de l'imagination et de l'énergie. L'énergie, Lee l'exprimait physiquement — son corps n'était ni svelte ni trapu, mais un compromis entre les deux, une harmonie dans le mouvement. Et puis, surtout, elle l'exprimait dans l'enthousiasme qu'elle manifestait pour son travail. Sur le coup de minuit, Robert avait balbutié un « je t'aime, tu sais ». Lee était restée muette, comme surprise (comment était-ce possible, s'était demandé Robert, alors qu'une bonne demi-douzaine d'hommes devaient être amoureux d'elle), puis elle avait continué de ranger ses photos. Il n'avait pas essayé de lui prendre la main ou de l'embrasser.

Puis ç'avait été le silence, pendant quinze jours, pendant un mois. Elle était trop occupée pour accepter un rendez-vous, disait-elle quand il téléphonait. Avec un mélange de reconnaissance et de déplaisir, Robert se remémorait le conseil que lui avaient alors donné ses amis : « Vas-y doucement, Bob, et c'est elle qui viendra à toi. » Il n'était pas du genre à y aller doucement, mais il avait fait de son mieux et Lee était venue à lui, avait décidé des rendez-vous, avait même dit oui lorsqu'il lui avait demandé de l'épouser. A ce moment-là, ils avaient déjà couché ensemble plusieurs fois dans le studio de Robert. Robert avait la tête à l'envers. Il lui semblait avoir rencontré une déesse. Ce n'était pas une question de terme, mais il voyait mal à quoi d'autre il pourrait la rattacher, car elle était unique au monde.

Le conseil. Robert alluma une des cinq cigarettes qui lui restaient. Le mot lui rappelait ses parents, à New York. Ils lui avaient téléphoné la veille et on lui avait permis de parler à chacun d'entre eux. « Est-ce vrai, Bobbie ? » avait demandé sa mère d'une voix qui lui faisait encore mal quand il l'évoquait. « Nous ne pouvons pas y croire. » Le ton de son père était pesant, désespéré. « Nous pensions que c'était une erreur, une confusion de noms... » Ce n'était pas une erreur, avait répondu Robert. Oui, il avait fait ça. Comment l'expliquer au téléphone ? L'expliquer était-il réellement important, si grand que fût l'amour qu'il portait à ses parents ? Pourraient-ils vraiment comprendre tout cela s'il l'écrivait pour eux, même ? « Ma vie est finie », avait-il dit pour terminer. Le gardien lui avait fait un petit signe (bien que la communication fût payée par ses parents) et il avait dit à son père qu'il devait raccrocher.

S'il racontait tout par écrit — et Robert tournait en rond dans sa cellule, dont l'exiguïté et la porte barrée ne lui importaient plus le moins du monde — il dirait que Lee était devenue une personne différente. C'était cela. Robert en avait pris conscience longtemps auparavant, presque deux ans, en fait. S'il écrivait jamais leur histoire, il faudrait qu'il insiste là-dessus dès le début. C'était le cœur du problème et ce qu'il n'avait pu prendre en compte, ou accepter, quel que fût le terme. *Sa faute à lui.* Sans aucun doute. Lee avait le droit de changer, ou, peut-être, de tout simplement devenir elle-même.

Le bébé n'avait pas un an quand Robert avait demandé à Lee si elle voulait divorcer.

« Mais pourquoi donc ? avait-elle interrogé. Qu'est-ce qui ne va pas, Bob ? Es-tu si malheureux que cela ? »

Il y avait alors un mois ou plus qu'ils n'avaient pas fait l'amour. Robert en était incapable; peut-être Lee ne s'en était-elle même pas aperçue, absorbée qu'elle était par Melinda, le bébé. L'important n'était pas l'acte, le plaisir de faire l'amour — autrement dit même son absence n'était pas vraiment importante — mais c'était le fait que Lee était devenue une personne différente avec la maternité — quel mot redoutable — et toutes les tâches ménagères qui avaient débuté tôt au cours de leur union. Petit à petit, elle avait abandonné la photographie. Dès avant la naissance de Melinda, l'installation de sa chambre noire avait commencé à se couvrir de poussière. Ils avaient pris une hypothèque sur une jolie maison, ni trop petite ni trop grande, en dehors de la ville où Robert avait loué son studio. Il y avait eu le temps des achats du mobilier, des rideaux, du Frigidaire et de la cuisinière, mais, pour Lee, cela ne s'était pas arrêté. Il y avait eu des housses pour le canapé et les fauteuils du living-room. Lee se débrouillait bien avec la machine à coudre. Puis elle était tombée enceinte. Rien de mal à tout cela, bien entendu. Robert était aussi ravi qu'elle. Les dîners du samedi chez la mère de Lee, un rien ennuyeux mais supportables, parfois même chaleureux et rassurants...

Robert s'arrêta de marcher en face du modeste miroir qui était accroché au mur au-dessus du lavabo. Il vit qu'il fronçait les sourcils. Il se frotta brusquement le menton et ne croisa que brièvement son regard. De se contempler ne l'intéressait nullement. Il s'était bien mal rasé ce matin; à quoi pensait-il alors?

Le charme s'est envolé, tout simplement. Utiliserait-il ce genre de phrase, s'il écrivait son histoire et celle de Lee?

Il se sentit soudain perplexe. Comment écrire sur quoi que ce soit avant que tout ne fût clair dans son esprit? Comment traduire en mots et en phrases son amour pour Lee? La maladresse abrupte des paroles de certaines chansons pop lui revint... *Chaque fois que je le vois, j'ai le cœur aux abois... Quand je plonge dans tes yeux, j'ai envie de mouri-re... Ces endroits où nous allions, toi et moi-oi...* Lee aimait parfois écouter de la musique pop lorsqu'elle cousait, changeait le bébé ou le baignait. Si seulement elle avait cessé ces menus travaux, si elle l'avait laissé changer la petite — il en était capable. Si elle avait tout abandonné pour se remettre à ses propres œuvres!

Voilà que Robert se rongeait de nouveau. C'était absurde. Lee était morte, à tout jamais. A quoi bon être tendu, à quoi bon, même, analyser ces choses?

Il revint rapidement au présent. Ses parents venaient le voir le lendemain. La mère de Lee ne tenait évidemment pas à le rencontrer; elle était allée avec Melinda chez une de ses sœurs, quelque part dans l'Illinois. Ou plutôt, elle y allait après l'enterrement. L'enterrement avait lieu *aujour-d'hui*. Robert en prit conscience sans en être véritablement bouleversé; il eut envie de regarder sa montre, y renonça. Il savait qu'il n'était pas encore midi, puisque le gardien ne lui avait pas apporté le plateau du déjeuner. Les enterrements avaient toujours lieu le matin, non?

Puis, pendant quelques instants, Robert s'aperçut qu'il ne pouvait se rendre compte de ce qu'il avait fait. C'était aussi réconfortant que s'il avait avalé un médicament. En revanche, il comprenait que sa vie et son œuvre, tout ce qu'il avait souhaité accomplir, c'était fini, terminé. Il serait aussi bien mort, comme Lee. Mais on n'allait pas le tuer; on le condamnerait et on l'emprisonnerait. C'était pire. Il y penserait plus tard. Il toucha de la langue une de ses canines, qu'il avait cassée au cours d'un match de foot, quand il avait quatorze ou quinze ans. C'était loin. Sur ce souvenir s'enchaîna la vision de petites maisons blanches au bord d'une mer bleue. *La Grèce*. A vingt ans, il l'avait parcourue, sac au dos, dormant sur les plages et dans les bois de pins, faisant la connaissance du pays et des gens. Il avait espéré gagner suffisamment d'argent pour acheter une maison sur une île grecque et y vivre avec Lee au moins la moitié de l'année. Il n'avait jamais oublié ni la Grèce ni le rêve de la maison. Lui et Lee en parlaient, de temps en temps. La musique grecque...

La musique de Lee... Lee n'avait pas toujours écouté que du pop. Curieusement, elle aimait Mahler. Pour Robert, Mahler était parfois déprimant, créateur d'angoisse, insondable. Maintenant, cependant, le souvenir de la 6ᵉ le calmait. C'est pendant que jouait la 6ᵉ symphonie de Mahler, un après-midi, qu'il était venu à une grande décision à propos de Lee. Il travaillait alors à une statue

74

de terre glaise intitulée *Femme rêvant*. Le personnage était à genoux, les bras levés, comme marchant à demi en rêve. Il était prêt à parler à Lee de son idée.

Et que faisait-elle ?

Debout sur un tabouret de formica, elle recouvrait des étagères de cuisine de papier adhésif. Robert lui proposa de divorcer et d'épouser Tony. Tony était un architecte qui habitait à une dizaine de kilomètres de chez eux. C'est lui qui avait posé les étagères sur lesquelles elle s'escrimait.

« *Tony* ? »

Robert entendait encore le son de sa voix et la stupéfaction qu'elle reflétait.

« Il est amoureux de toi, avait-il ajouté. Trop poli, bien sûr, pour faire quoi que ce soit. Tu dois bien le savoir.

— Es-tu complètement fou, Bob ? »

Il se rappelait son regard, toujours aussi clair, aussi franc qu'avant, mais quelle différence dans l'esprit qui se cachait derrière...

Cette différence affectait l'œuvre de Robert, du moins les esquisses qu'il faisait de Lee. Il ne pouvait plus la voir comme avant, puisqu'elle n'était plus la même... Et les études de nus qu'il avait réalisées d'elle, un ou deux ans auparavant, grandeur nature ou presque, semblaient le narguer depuis les murs sur lesquels elles étaient punaisées. « Tu ne pourras recommencer », semblaient-elles dire. Elles avaient de l'esprit, de l'enthousiasme, du génie, même. Le génie de qui ? Le sien ou celui de Lee ? Robert n'était pas vaniteux ; ce pouvait être l'un ou l'autre, mais il préférait que ce fût la combinaison des deux. Il s'était alors tourné vers d'autres sujets, des thèmes abstraits, des natures mortes, d'autres figures de femmes, si besoin était. Lee était devenue « n'importe

quelle femme », ordinaire, jolie, mais dénuée
d'inspiration et incapable d'en susciter. Robert
s'était débrouillé pour donner des cours trois
matinées par semaine à Chicago. Ils auraient pu
s'offrir une baby-sitter, une femme de ménage
une à deux fois par semaine, mais Lee semblait se
plaire à ces corvées et elle ne voulait personne
chez elle.

Si Lee commençait à ressembler au cliché de
Madame-Tout-le-Monde, Tony Wagener, lui, était
l'archétype de Monsieur-Tout-le-Monde, que la
jeune fille moyenne serait heureuse d'épouser. Il
avait vingt-cinq ans, une bonne santé, du charme,
un heureux caractère et ne quittait pas Lee des
yeux. Etait-ce étonnant qu'une idée de ce genre
eût traversé l'esprit de Robert ? Cela aurait dû
marcher. Bien sûr, il aimait toujours Lee, même
physiquement, mais cet abandon... De quoi ? De
son rêve ? Non. Lee *était* bien alors celle qu'il se
remémorait à leur rencontre et qu'il avait épousée. Témoins, ses dessins ! Témoins, ses trois statues d'elle, deux petites et une grandeur nature !
Ils étaient bons !

Donc, Tony.

« Tu n'as pas d'affection pour Tony ? avait-il
demandé à une autre occasion.

— Je n'y ai jamais réfléchi. Pourquoi en
aurais-je ? Il nous apporte du bois pour la cheminée, parce qu'il n'en a pas l'usage, mais... »

Elle avait haussé les épaules.

« Ce serait peut-être mieux pour toi. Tu serais
peut-être plus heureuse. Et Tony, lui, serait certainement plus heureux. »

Robert se souvenait d'avoir ri à ce moment.

Lee était toujours stupéfaite.

« Mais je ne veux pas de Tony ! »

Qu'avait-elle encore ajouté ? Lui avait-elle

demandé s'il était malheureux avec elle, s'il ne l'aimait plus ?

Qu'aurait-il répondu, dans ce cas ?

L'idée était venue à Robert de s'enfuir, d'abandonner tout simplement Lee et la petite. Il aimait le bébé, qu'il respectait en tant que création de Lee et de lui-même, mais il était encore capable d'envisager la fuite plutôt que... quelque chose de pire. Ce que l'expression recouvrait n'était alors pas très net chez lui; il se bornait à le redouter.

S'il disparaissait, les choses seraient-elles pires ? Il se souvenait de s'être interrogé à ce propos. Lee retomberait sur ses pieds, si elle tombait, d'ailleurs. Tony jouerait l'attente et ferait son entrée dès que Lee le lui permettrait. Pourquoi ne le lui permettrait-elle pas ? Tony était sérieux dans son métier, il avait des diplômes et il réussirait sur le plan professionnel. Robert ne pouvait imaginer meilleur prétendant, si on lui donnait sa chance. Tony avait une petite amie quand Lee et Robert s'étaient installés (elle l'avait accompagné une ou deux fois chez eux, où il s'occupait de la charpente), mais, après trois mois environ, il l'avait quittée. Il était devenu amoureux de Lee, c'était clair. Robert l'avait fait remarquer de très bonne heure à Lee, qui avait haussé les épaules, inintéressée.

Robert faisait à l'époque des portraits, des têtes, comme il disait, pour quelques clients. Cela rapportait de l'argent. Seuls des gens d'un certain âge et des personnes aisées pouvaient s'offrir le luxe de voir couler leur épouse ou eux-mêmes dans le bronze pour plusieurs milliers de dollars. Afin de plaire au client, Robert avait dû donner à ces sculptures un tour conventionnel. Malgré la liberté qu'il s'efforçait d'y introduire, ce travail l'ennuyait.

Lee aussi avait commencé à l'ennuyer. Quelle incroyable prise de conscience! Un jour qu'il revenait de Chicago, nerveux, malheureux, il avait demandé à Lee : « Et si je disparaissais ? »

Elle s'était détournée de la cuisinière sur laquelle elle préparait le repas : « Que veux-tu dire ? » Son sourire était presque le même qu'avant, amusé, posé, découvrant des dents assez pointues entre ses lèvres maquillées. Elle portait des tennis blancs et des jeans de velours marron. Dans cette tenue, elle n'avait rien d'un garçon avec ses hanches rondes, bien qu'elle ne fût pas grosse.

Qu'avait-il répondu ? Il devait essayer de s'en souvenir, parce que c'était important, parce qu'il avait tenté alors d'émettre la bonne suggestion. « Je n'ai pas l'impression que tu aies encore besoin de moi. » Voilà, il avait dit ça. Qu'avait-il pu ajouter ? « Si je pars, je t'enverrai de quoi vivre, bien entendu. » Puis il avait balbutié la vérité : « Tu n'es plus la même, Lee. Ce n'est pas de ta faute, c'est *de la mienne.* Je n'aurais jamais dû te demander de m'épouser. D'une façon ou d'une autre, je suis en train de *te* détruire. Et cette situation me pose des problèmes dans mon travail. Elle me déprime. »

— Mais je suis la même. Evidemment, je dois consacrer beaucoup de temps à Melinda, mais je n'y attache aucune importance. C'est normal. » N'avait-elle pas, à ce moment même, traversé la cuisine comme l'éclair pour empêcher Melinda de mettre ses doigts dans une prise électrique ? Melinda se traînait un peu partout, car Lee ne voulait pas la confiner à son petit lit. « Quand elle est fatiguée, elle dort mieux », disait-elle souvent. Qu'avait-elle ajouté d'autre ? Peut-être : « Je croyais que tu travaillais bien. Ce n'est pas le cas ? »

Et sa coiffeuse, couverte de petites boîtes d'épingles à cheveux, de rouges à lèvres, de flacons de parfum, de lotions, d'eau de Cologne... Robert contemplait tout cela avec le sourire — des objets mystificateurs, mais Lee savait les utiliser. Grâce à eux, elle devenait plus jolie, différente. Elle s'amusait, elle amusait les autres. Les jeunes gens et les hommes la regardaient quand ils allaient au restaurant. Pourtant, Lee ne faisait rien pour attirer l'attention, elle n'en avait jamais eu besoin. Peut-être les hommes prenaient-ils un regard d'elle pour une invitation au flirt, mais Lee ne pouvait évoluer les yeux fermés. Non, elle ne flirtait pas; une fois qu'elle l'avait choisi, Robert avait été le seul pour elle, il le savait.

Un vendredi matin, jour où il devait se lever au plus tard à sept heures pour se rendre à son cours à Chicago, Robert était parti de la maison. Il laissait à Lee un mot disant qu'il allait téléphoner à Tony. « *Essaie,* écrivait-il. *Vois si tu peux aimer Tony autant qu'il t'aime. Tu sais où me joindre — à l'école des Beaux-Arts. Essaie pendant un mois, par exemple. Tu seras peut-être plus heureuse.* » Robert avait pris une chambre dans un meublé près de l'école. Si cela ne marchait pas avec Tony, Robert pensait acquérir une voiture d'occasion pour laisser la leur à Lee. Elle savait conduire. Bien évidemment, il envisageait le divorce. A ses yeux, un divorce serait mieux pour tous les deux. Un autre Tony pouvait se présenter. En attendant, son atelier, sa terre glaise, les œuvres qu'ils avaient entamées lui manquaient.

Au téléphone, Tony avait répondu :

« Mais qu'est-il arrivé, Bob ? Vous vous êtes sérieusement disputés ? Cela a l'air grave...

— Veille sur elle, simplement. Non, nous ne nous sommes pas disputés. C'est une sorte de mise à l'épreuve. J'ai envie de la tenter. » A l'autre bout du fil, il y avait eu un silence choqué. « Elle peut te préférer...

— Oh ! non ! » Tony était sur la défensive, à présent. « Tu te trompes sur mon compte, Bob.

— Essaie. C'est moi qui te le propose. »

Et Robert avait raccroché.

Le samedi vers vingt heures, Robert reçut un télégramme de Lee. « *Ne te comprends pas. Reviens. Suis si malheureuse. Lee.* »

Robert avait envoyé la veille son adresse, mais pas le nom ni le numéro de téléphone de sa logeuse. Sans doute avait-il été plus simple pour Lee d'envoyer un télégramme. Robert l'avait trouvé glissé sous sa porte à son retour du snack où il avait dîné.

Et cela s'était arrêté là. Après un bref débat intérieur, Robert était rentré chez lui. Il n'avait pu supporter de savoir Lee *malheureuse* — soit du fait de la solitude, soit du fait qu'elle n'aimait pas Tony, ou qu'il l'ennuyait ou la gênait.

« Que s'est-il passé, Bob ? Et... Tony ! Qu'essaies-tu de faire ? Je n'ai jamais dit que Tony me plaisait... »

Telles avaient été les paroles de Lee.

Tony n'était pas là au retour de Robert. Il s'était montré poli, serviable, mais Lee ne voulait pas de lui.

Dans sa cellule, Robert, épuisé, tomba sur son lit. On dut l'éveiller pour le dîner. Quelques heures auparavant, on lui avait certainement mis son déjeuner sous le nez. Il ne s'en souvenait plus. Sans doute alors rêvait-il tout éveillé.

« Seigneur, que j'aimerais avoir une radio », murmura-t-il.

N'importe quelle émission l'aurait aidé à oublier. On était en décembre et la nuit tombait tôt. Robert tourna en rond pendant des heures dans sa cellule, dans l'espoir d'être assez fatigué pour dormir.

Le lendemain, à treize heures trente, ses parents arrivèrent. On l'autorisa à leur parler, dans une petite pièce avec une table et des chaises.

Sa mère, nerveuse, semblait avoir pleuré. Blonde, elle était vêtue d'une robe de tweed et d'un manteau de peau lainée. Son père, lui, était aussi grand que Robert : un mètre quatre-vingts. Il avait la cinquantaine et l'esprit logique. Sa bouche était crispée : Robert vit qu'il était furieux, qu'il ne comprenait pas, qu'il allait se montrer têtu. Cette attitude, son père l'avait déjà, lorsque, petit enfant, Robert avait fait une sottise. Evidemment, aujourd'hui, il avait raison de faire cette tête-là.

« Bobbie, tu dois nous dire ce qui est arrivé, dit sa mère.

— Il est arrivé ce que l'on a raconté. C'est la vérité.

— Qui ça, « on » ? demanda son père.

— La police, sans doute. J'ai appelé la police.

— Ça, nous le savons, dit sa mère. Mais que s'est-il passé à la maison ?

— Rien. »

Il s'arrêta. Il avait failli dire qu'il avait dû avoir un moment de bizarrerie, de colère. Mais ce n'était pas ça.

« Vous vous êtes disputés ? Tu avais un peu bu ? interrogea son père. Tu peux nous dire la vérité, mon fils. Tu es en état de choc, je le vois bien. »

On sentait que les mots lui venaient difficilement aux lèvres. Il regarda sa femme puis se tourna de nouveau vers Robert. Avec calme et sérieux, il déclara :

« Ce n'est pas toi, Bob. Tu adorais Lee, nous le savons. Ne peux-tu nous parler ?

— Y avait-il un autre homme ? reprit sa mère. Nous y avons pensé. Ce Tony, que tu mentionnais dans tes lettres...

— Non, non. »

Robert secoua la tête.

« Tony est un garçon très poli.

— Poli, certes... acquiesça son père, espérant tenir là un fil conducteur.

— Cela n'a rien à voir avec Tony. »

Doucement, sa mère demanda :

« Qu'a fait Lee ?

— Rien. Simplement, elle a changé.

— Changé dans quel sens ? interrogea son père.

— Elle est devenue une personne différente de celle que j'avais épousée. Elle n'a rien *fait*. Il est possible, après tout, qu'elle ait juste été elle-même. Pourquoi pas ? »

Il tentait d'avoir l'air raisonnable. Ce dont ils parlaient ne pouvait peut-être pas entrer dans le cadre de la raison, ne pouvait peut-être pas être compris en termes logiques. De plus, Robert n'avait jamais été très intime avec ses parents, pas plus qu'il n'avait tenté de raconter, à l'un ou à l'autre, ses états d'âme, ses coups de cœur ou ses amours d'adolescent. Ils l'avaient soutenu quand il avait décidé de faire des études artistiques. Pourtant, son père considérait cela comme peu pratique, « facile », dénué d'efforts et nullement gratifiant, il ne l'ignorait pas. Pour eux, il était un artiste, et donc un être sensible. Son acte devait en être encore plus incroyable à leurs yeux.

« Changé dans quel sens ? répéta son père. Elle t'a négligé, parce qu'elle attachait trop d'importance à son bébé ? Cela arrive, tu sais, mais...

— Ce n'était *pas* cela. » Soudain, Robert était impatient. Il fallait mettre fin à cette conversation inutile. « Ce que j'ai fait n'était absolument pas raisonnable, reprit-il, et je mérite le châtiment qu'on va me faire subir. »

Sa mère ouvrit son sac pour y prendre un mouchoir de papier. Sa main tremblait, mais elle ne pleurait pas.

« Bobbie, dit-elle en se mouchant avec discrétion, nous avons téléphoné à un avocat qui connaît les lois de l'état. Nous le voyons cet après-midi. Il dit que si vous vous êtes disputés, si tu t'es mis en colère, cela te rendra service quand...

— Pas question, l'interrompit Robert. Cela ne s'est pas passé ainsi. »

Ses parents échangèrent un regard, puis son père déclara calmement :

« Bob, nous allons revenir après avoir vu l'avocat. A quelle heure est-ce, Mary, exactement ?

— Entre seize heures et seize heures trente.

— Il vient à notre hôtel. Il voudra te voir demain matin. Il s'appelle McIver. On m'a dit que c'était quelqu'un de bien. »

Tout cela avait pour Robert aussi peu d'importance qu'une pièce que l'on jouerait devant lui. Les avocats, les lois, transforment les actes en phrases abstraites, plus abstraites que lui et Lee — ce qui était déjà assez difficile pour Robert...

Ses parents se levèrent. Robert les remercia. Tous trois sortirent calmement de la pièce. Un gardien attendait Robert pour l'escorter jusqu'à sa cellule. Sa mère pressa la main de Robert et le

gardien suivit ce geste des yeux, comme pour vérifier qu'elle n'avait rien glissé à son fils.

Avant que l'homme ne referme la porte de sa
cellule, Robert demanda un stylo et du papier. Il
reçut trois feuilles de papier rayé (dont il avait
horreur) et un stylo-bille. Quand il s'assit devant
la petite table, il sentit un paquet de cigarettes
dans la poche arrière de son pantalon. Des Camel
sans filtre. Il se souvint que sa mère les avait
sorties de son sac en murmurant quelque chose à
propos du distributeur automatique auquel elle
avait dû se servir car elle était pressée, au lieu
d'avoir pu acheter une cartouche.

Robert ferma les yeux. Il lui fallait faire le vide
dans son esprit et en même temps réfléchir à son
sujet, comme il le faisait pour ses sculptures, à
ceci près que son sujet, aujourd'hui, était Lee en
tant que personne. Lee en tant que modèle de
sculpture évoquait la grâce, la force, prises sépa-
rément, ou bien une combinaison des deux. La
grâce se mariait parfaitement à Lee. Jamais elle
n'avait accompli, pour autant qu'il s'en souvînt,
un geste disgracieux. Elle marchait comme si elle
ne pesait pas un gramme. Quant à la force, elle
l'avait possédée, une force qu'il ne comprenait
pas.

Enfin, il écrivit (cela lui semblait être un frag-
ment, mais il pouvait y revenir ou en faire un
point de départ) :

« De la voir ainsi dépérir sous mes yeux me
terrifiait, telle une mort lente. On parle toujours
d'épanouissement dans la maternité, dans
l'amour et tout ça. Ce n'était pas vrai dans le cas
de Lee. Pourtant ce que j'écris ici n'est en aucune
façon une tentative de ma part pour excuser mon
geste. »

Devait-il vraiment ajouter cette abominable

dernière phrase ? Bah ! il pourrait toujours la rayer plus tard. Mais pour qui écrivait-il, au fait ?

« Elle abandonna la photographie, exception faite de quelques médiocres clichés du bébé. Que peut-on faire d'un bébé ? Si l'on considère tout au moins la tendance du caractère de Lee, son intelligence, son sens de la tragédie humaine — rien. Elle aurait tout aussi bien pu utiliser un appareil ordinaire au lieu de ses excellents outils de travail. Elle ne parlait plus des expositions de photos à Indianapolis et à Chicago. Nous y étions pourtant souvent allés. Nous connaissions certains des photographes qui vivaient dans ces deux villes. Ils avaient peu à peu cessé de nous rendre visite.

« Et tout cela était tellement inutile ! Si je considère les travaux que Lee a faits juste avant notre mariage ou juste après, ils sont extraordinaires ! Et quelle facilité, quelle puissance ! J'ai pensé être à l'origine de cette mauvaise pente, de cet effondrement. Alors j'ai proposé de m'en aller, de veiller matériellement sur elle de loin, comme il se doit, en attendant qu'un autre vienne partager sa vie. Elle a refusé et... »

Robert s'arrêta. Il revoyait soudain le living-room au cours de cette dernière soirée, les photos, les instantanés de Lee ornant les murs, ses bonnes vieilles réussites, des gens, des immeubles. Ils ne s'étaient pas disputés, non. Lee était debout, parlant de choses et d'autres, qu'elle avait reçu un coup de fil de Fred Muldaven, un peintre ami de Robert qui vivait à Chicago... Melinda se trouvait alors dans son petit lit que Lee avait installé dans la cuisine. Il était dix-huit ou dix-neuf heures. Robert était dans un état d'esprit bizarre. Il s'en rendait compte, cependant qu'il regardait Lee sans écouter vraiment ce qu'elle disait. Il rentrait tout juste en voiture de Chicago. Peut-être avait-il bu une bière à même la boîte.

« Il y a un arrivage de desert boots chez Beecham, disait Lee. Tu as bien besoin d'une paire neuve. Celles-ci sont dans un état épouvantable. »

Cela était ennuyeux, sans importance aucune. Un ou deux ans auparavant, Lee n'aurait pas remarqué que ses desert boots ne valaient plus rien, ni que ses chaussures nécessitaient un coup de brosse. Les vieux vêtements avaient leur place; c'était également agréable de bien s'habiller, parfois; mais pourquoi en parler? Pourquoi se casser la tête pour plaire aux gens ou à quiconque pouvait jeter un œil sur ses desert boots éculées?

Ce soir-là, pourtant, rien ne pouvait être considéré comme la dernière goutte qui fait déborder le vase. Non, l'ambiance était plutôt à une morne tranquillité, à un désespoir calme, à un ralentissement des choses qui viendraient à leur fin, comme un train qui perd de la vitesse une fois le moteur coupé. Ils s'étaient rendus dans la cuisine. Melinda, symbole du futur, dormait pour une fois paisiblement. Avait-il eu devant les yeux, en regardant Lee s'affairer bêtement devant la cuisinière, la vision de la jeune femme à l'école des Beaux-Arts de Chicago? S'était-il, l'espace d'un instant, remémoré le merveilleux air de se moquer pas mal de le revoir qu'elle avait avant leur mariage? Quoi qu'il en soit, c'était fini, à présent. Il avait saisi le rouleau à pâtisserie encore enrobé de farine.

Robert se leva, fit le tour de sa cellule. Il revint à sa table, esquissa le geste de prendre une cigarette, s'arrêta. Il pensait à autre chose : Lee morte, le bébé chez la mère de Lee, lui mort aussi. C'était en quelque sorte une pure abstraction. La mère de Lee ne s'était pas manifestée, ni Fred Muldaven (leur amitié débutait et Robert supposait que Fred avait maintenant peur de lui). Seuls ses parents lui avaient fait signe. C'était dans l'ordre naturel des choses, car ils étaient liés par le sang, telle une étoile triple flottant dans l'espace. Et pour être un rien plus concret, encore que le fait n'eût en lui-même aucune importance, Robert allait passer les quinze prochaines années de sa vie (dans le cas d'un verdict clément) en prison, à travailler, si du moins il travaillait, dans la section artistique de la prison, à subir des horaires stricts pour se lever et pour se coucher, à se voir rappeler, jour après jour, par les barreaux de la porte et de la fenêtre, Lee et sa façon d'être autrefois, ce qui était encore pire.

Il écrivit une autre phrase : « Il est terrible que je l'aie tant aimée. C'est à mes yeux ce qui a tout gâché. »

Il alluma une cigarette et garda les yeux fixés sur le mur de l'autre côté du lit, gris et plein d'aspérités. Et Melinda... Ecrirait-il une seule phrase destinée à cette jeune créature dont il ignorait tout quant à la personnalité ? Bien sûr, il savait qu'elle était d'une nature plutôt joviale; mais cela pouvait évoluer sur le coup de ses douze ans. Il décida de ne rien écrire à Melinda. Elle était en de bonnes mains. Elle grandirait dans la haine de son père. Elle regarderait les jolies, les belles photographies de sa mère et elle le détesterait. Et les statues qu'il avait faites de Lee ? La mère de la jeune femme les jetterait-elle, les détruirait-elle ?

Robert resta ainsi, à fumer sur son lit, pendant quelques minutes. Quand il eut terminé sa cigarette, il la déposa dans le cendrier de métal, sur la table. Sans raison aucune, il consulta sa montre : seize heures trente-sept.

Robert s'accroupit près du lit, dans la position du coureur au moment où l'on donne le départ, face au mur opposé. Puis il se lança en avant de toute la force qu'il avait en lui, de toute la force, lui sembla-t-il, qu'il avait mise dans son travail, et il fut brièvement accompagné par la vision d'une statue de Lee, plus belle qu'il n'en avait jamais réalisée. Alors sa tête heurta le mur.

LA MAISON NOIRE

Titre original de la nouvelle
THE BLACK HOUSE

A CANFIELD, bourgade de l'état de New York, il y avait une maison dont les deux étages se dressaient, noirs, contre l'horizon. Une rivière traversait la ville, dont l'activité principale était, en bonne logique, l'industrie du cuir et du papier. Aucune des maisons de Canfield n'était une demeure imposante, mais ses habitants se flattaient de les entretenir parfaitement et de soigner pelouses et rosiers. C'étaient des Américains respectables, dont les familles, pour la plupart, étaient installées là depuis deux cents ans. Tout le monde ou presque se connaissait et l'atmosphère était amicale. On échangeait avec ses voisins des plantes ou des arbustes, des recettes de cuisine, on se rendait des services et l'on s'invitait pour Noël ou les anniversaires. La rivière, qui charriait autrefois les déchets jaunâtres des usines, avait été nettoyée. Certes, cela ne s'était pas fait sans mal, ni sans frais; il y avait eu quelque résistance à la législation, mais à présent chacun était fier : la rivière coulait à nouveau fraîche et claire et le vent n'apportait nulle odeur nauséabonde et sulfureuse, même si les poissons étaient encore absents.

Et la maison noire? Les femmes préféraient

l'oublier, tel un mal inévitable. Les hommes en plaisantaient et racontaient des histoires à son sujet. La famille à laquelle appartenait le terrain vivait à Ithaca, dans l'état de New York, mais certains membres se disputaient la propriété des lieux. A Canfield, on ignorait qui possédait et le terrain et la maison. On avançait bien un ou deux noms — Westbury et MacAllister, des cousins — et pourtant personne ne se souvenait de les avoir vus ou rencontrés. La maison était dans cet état dès avant la naissance de la majorité des habitants de Canfield.

« On devrait y mettre le feu, disait l'un en vidant son verre de whisky ou de bière au White Horse, une taverne qui était le lieu de rencontre favori.

— Pourquoi donc? Elle ne fait de tort à personne », rétorquait l'autre.

Après une nouvelle tournée — cela pouvait être à la sortie de l'office du dimanche, sur le coup de midi et demi — Frank Keynes racontait ses quatorze ans et l'échec du rendez-vous qu'il avait donné à l'adolescente dont il était amoureux, à neuf heures du soir, au pied de la colline où s'élevait la maison noire.

« Figurez-vous qu'alors arrive une *autre* fille, qui, elle, accepte de monter jusqu'à la maison! »

Les hommes s'esclaffaient. Mensonge ou vérité?

Ed Sanders, directeur de la fabrique de papier, disait :

« La dernière fois que tu nous as raconté cette histoire, c'est la *première* fille qui y allait. Allons, Frank, le whisky te monte à la tête! »

Et chacun souriait, tandis que des fantasmes d'adolescence, des vantardises, leur traversaient paresseusement l'esprit, telles des volutes de fumée. Les hommes se tenaient au comptoir d'acajou légèrement incurvé; leurs femmes ou leurs petites amies restaient assises à l'écart, hors de portée de voix, et se contentaient de bavarder devant un verre jusqu'à ce que Kate Sanders, l'épouse de Ed, fît le premier geste et allât chercher son mari pour le déjeuner. Et elle ajoutait, bien que Ed le sût parfaitement, que le repas était déjà prêt, grâce au programmateur.

De tout l'auditoire, le plus jeune était Timothy Clarke. Célibataire, récemment engagé à la tannerie où il exerçait la double fonction de comptable et de vendeur, il avait vingt-trois ans. Il sortait de l'université Cornell. Après avoir tenté sa chance pendant un an à New York, il avait décidé de retourner, au moins pendant un moment, à Canfield, sa ville natale. Grand, les cheveux cuivrés, il avait un air avenant mais réservé. Son oncle lui louait une chambre chez lui, car ses parents avaient déménagé quelques années auparavant. Une fois, une jeune fille d'Ithaca était venue lui rendre visite pendant le week-end. Ils avaient bu ensemble un verre à la taverne, mais elle n'était pas revenue. Un samedi, au comptoir, il raconta en souriant à ses compagnons :

« Je me souviens que, lorsque j'avais dix ans et que j'allais à l'école ici, nous nous racontions qu'un ogre habitait la maison noire. Ou un fou que la police elle-même ne pouvait pas déloger; si nous nous approchions trop, il se précipiterait sur nous et nous étoufferait. Vous savez comment sont les gosses. Toujours à inventer des histoires. Pourtant, à dix ans, tout cela me semblait bel et bien *réel.* »

Tim, toujours souriant, finit sa chope de bière.

« Il y a *vraiment* quelque chose de bizarre à propos de cette maison, dit Ed Sanders d'un air rêveur, perché sur son tabouret de bar. Elle donne l'impression d'être hantée. Vous voyez ce que je veux dire ? Ce toit incliné, ces cheminées de guingois, on croirait qu'ils vont vous tomber dessus. »

Ed vit avec regret approcher sa femme. Il était bien là, à parler de la maison noire. Il lui semblait être dans un autre monde, retrouver ses douze ans, avoir abandonné sa peau de presque quadragénaire à la brioche épanouie, qui en savait déjà trop sur la vie.

Sam Eadie, un blond assez enveloppé à la calvitie naissante, avait également repéré la femme de Ed. Il se pencha vers lui, murmura rapidement :

« J'ai, et j'affirme que c'est vrai, fait l'amour pour la première fois là-bas, à quinze ans. »

Il se redressa et afficha un sourire :

« Bonjour, Kate ! Alors, on vient récupérer ses troupes ? »

Oh ! tu n'es pas le seul, Sam, pensa Ed Sanders avec véhémence et non sans orgueil, mais il ne pouvait l'affirmer tout haut, à cause de son épouse. Il se borna à adresser une petite grimace à son vieux copain.

Timothy rentra déjeuner chez son oncle, Roger Clarke. Ni l'un ni l'autre ne s'étaient rendus à l'office. Timothy avait fait une petite promenade dans les bois avant de rejoindre le White Horse. Roger avait fait réchauffer au four le déjeuner dominical de porc au riz préparé la veille par Anna, son employée. Il remit son veston et tous deux s'attablèrent.

« Tu as passé une bonne matinée ? »

Tim attendait que son oncle se fût servi le premier. Il savait que Roger s'était occupé au jardin, à moins qu'il n'eût dépouillé quelques dossiers juridiques.

« Pas mauvaise, et toi ?

— Excellente. Au programme : balade dans les bois et rafraîchissement à la taverne.

— Il y avait beaucoup de monde ? Ed Sanders était là, je suppose. Et Frank Keynes. »

Pourquoi ne te joins-tu pas à eux, avait envie de répondre Tim, mais, avec ses cinquante-cinq ans, son oncle était plus âgé que la majorité de la bande du White Horse. De plus, il ressentait toujours douloureusement l'absence de son épouse, Meg, disparue trois ans auparavant. Il n'était pas du genre à extérioriser ses sentiments, mais Tim savait qu'il était ravi de l'avoir auprès de lui.

« Je me demande, commença Tim, pourquoi... pourquoi la conversation à la taverne tourne toujours autour de cette maison, la maison noire. Tu sais, celle qui est abandonnée, sur la colline. »

Roger resta la fourchette en l'air et lui adressa un sourire.

« Sans doute parce qu'ils l'ont toujours vue là. C'est notre château, en quelque sorte.

— Oui, mais quand ils en parlent, on dirait une bande de gosses. Je me souviens que, lorsque j'étais petit, tous les enfants prétendaient en avoir une peur bleue. Mais eux, ce sont des adultes, et ils l'évoquent comme si elle était hantée, ou même dangereuse, encore maintenant. Surtout s'ils ont bu avant un ou deux apéritifs. » Tim se mit brusquement à rire. « Et ils se vantent d'y avoir emmené des filles ! Quand ils étaient adolescents, je veux dire. A leur âge, tu imagines ! C'est à se tordre, de les écouter ! »

Roger, le regard vague, mastiquait d'un air pensif. Ses cheveux poivre et sel étaient soigneusement coiffés. Un pli soucieux barrait son front, mais il n'avait pas cessé de sourire.

« Ils rêvent, ils inventent. Il y a eu... oui, il y

a eu un meurtre il y a cinq ou six ans. Cet adolescent, tu te souviens? On a retrouvé son cadavre au rez-de-chaussée de la maison. Egorgé. Il était mort depuis trois ou quatre jours. Une histoire horrible. » Roger secoua la tête d'un air écœuré.

« Oh! vraiment? Et qui avait fait ça?

— On n'a jamais découvert le coupable. A l'époque, tu devais avoir seize ans. C'est curieux que tu n'en aies jamais entendu parler. Ce n'était pas un jeune d'ici. Il venait, euh... du Connecticut, je crois. Aucune importance. Moi, continua-t-il sur un ton plus jovial, quand j'étais gosse, je jouais dans cette maison. Je me rappelle parfaitement qu'avec tout un petit groupe de mômes, on passait le temps à escalader et dégringoler les escaliers, en se racontant qu'ils allaient s'effondrer, ou qu'un demi-fou était caché derrière une porte. Enfin, des choses de ce genre. Imagine : la maison était déjà abandonnée, de mon temps. »

Tim essaya de se reporter quarante-cinq ans en arrière.

« Pourquoi donc n'entretenait-on pas la maison?

— Parce que, sur le plan légal, tant que rien n'est réglé, nul n'a le droit d'y toucher. Et dans la mesure où elle ne représente aucune menace, notamment en cas d'incendie, placée comme elle est, là-haut, sans un arbre autour... Même les arbres sont morts. Par manque de soins, je suppose. »

La conversation dévia. Roger était avocat. Il avait la meilleure réputation de la ville. Son associé, plus jeune, reprendrait l'affaire plus tard. Meg et Roger n'avaient jamais eu d'enfant. Tim interrogea son oncle sur un dossier délicat qu'il plaidait et qui le préoccupait. Mais ses pensées revenaient toujours à la maison noire, comme si elle recelait quelque énigme irrésolue.

« Est-ce que tu crois que des vagabonds dormaient là ? Quand on a tué ce garçon ? »

Pendant quelques instants, Roger ne sembla pas saisir de quoi il retournait.

« Oh ! dans la maison noire ? Non. Pas à cette époque. Encore que... cela arrive peut-être, de temps en temps. Je n'en sais rien. Non, Tim, si tu veux savoir la vérité... » Son oncle baissa la voix comme s'il risquait d'être entendu. « Ce que je vais te dire n'a été mentionné dans aucun journal. Nulle part, en fait. Il y avait dans cette histoire une fille, et elle était enceinte de ce garçon assassiné. Elle et lui s'étaient donné rendez-vous dans cette maison. Si ma mémoire est bonne, ils s'y rencontraient souvent. Le père de la jeune fille eut vent du rendez-vous, la suivit et tua le garçon. C'est ce que l'on raconte. Il était fou de rage. Et le garçon, en réalité, ne valait pas cher. Peu de temps après, le père a quitté la ville en emmenant sa fille. »

Tim était frappé de stupeur. Quoi, une telle violence à trois kilomètres à peine de l'endroit où il se trouvait ?

« Tu veux dire qu'on ne l'a jamais soupçonné ? »

Roger eut un rire bref et porta sa serviette à ses lèvres.

« Je pense que si. Mais le juge l'a laissé filer. Tout le monde était du côté du père, en quelque sorte. Cette maison respire le mal. »

Ce meurtre aussi respirait le mal. Une fille enceinte ne cautionne pas le meurtre du père de l'enfant, pensa Tom, quand il est évident qu'il n'y a pas eu viol.

« J'ai envie d'y retourner... histoire d'y jeter un

œil. Cette maison, qu'est-ce d'autre qu'une enfilade de pièces vides ?

— Pourquoi donc ? » Roger, qui était en train de servir la crème glacée, s'interrompit pour examiner son neveu. « Que cherches-tu ? Une lame de parquet peut céder sous ton poids. »

Tim se mit à rire.

« Je tâterai le terrain d'un pied prudent avant, ne t'inquiète pas. L'endroit ne me fait pas peur.

— Tu n'y gagneras rien, Tim », répondit Roger en hochant la tête.

Tim entama son dessert, en se demandant pourquoi son oncle le regardait d'un air si sévère.

Le lendemain, Tim quitta la tannerie à dix-sept heures précises, bien qu'il eût l'habitude de rester un peu plus tard. Il avait hâte d'aller examiner la maison noire avant la tombée de la nuit, car on était en octobre. En fait, pensait-il, la maison n'était pas exactement noire. Elle tirait plutôt sur le brun ou le rouge sombre. C'est seulement la nuit qu'elle apparaissait ainsi, comme d'ailleurs toute maison dépourvue de lumière.

Au volant de sa Chrysler couleur de tomate mûre, Tim s'engagea sur une route de terre battue aux nombreux virages, dont il ne se souvenait plus du tout. Elle menait à un endroit broussailleux, où, autrefois, avant la naissance de Tim, devaient se trouver les grilles de la propriété. Actuellement, il n'y avait plus aucune trace de clôture.

Vue de près, la vieille et sombre maison semblait plus haute et l'on aurait dit qu'elle examinait Tim d'un air circonspect. Tim détourna le regard. Les yeux fixés sur le sol, il escalada la pente. Il faisait encore jour. De chaque côté du sentier qui menait à la porte d'entrée, le jeune homme distinguait les petits cailloux et les touffes d'herbe dont la pelouse miteuse et desséchée était parsemée. Avait-on volé jusqu'aux dalles de l'allée ?

A une dizaine de mètres de la maison, Tim s'arrêta. C'était vrai, elle était plus brune que noire. Des marches de pierre, des colonnades de ciment. Des vitres brisées, une porte à panneaux dont on avait arraché le heurtoir, laissant à sa place un trou béant. Suffirait-il de la pousser pour entrer ? Tim eut un petit sourire. Il décida de faire le tour de la demeure avant d'y pénétrer.

Sur le sol apparemment stérile, il chercha en vain des canettes de bière, des papiers gras ou tout autre trace de réjouissances. Par les fenêtres, dont la plupart avaient les vitres cassées, on n'apercevait que l'obscurité. Un visage allait-il s'y encadrer, alerté par le bruit ? Un fou, un fantôme ?

Tim éclata d'un rire qui lui parut plus profond que d'habitude et se sentit rassuré. Ce n'était rien d'autre qu'une classique maison vide et sombre, une maison qui ne pouvait faire peur qu'aux enfants. En poursuivant son petit tour, il aperçut une canette de bière. Cela l'amusa.

On était allé jusqu'à ôter le loquet de la porte. Tim inséra les doigts de sa main droite à l'endroit où il avait été fixé. Il aurait pu entrer par la fenêtre la plus proche, béante, mais elle se trouvait trop haut au-dessus du sol. Il posa la main gauche sur la porte, hésita, renonça. Ainsi que le lui avait dit son oncle : à quoi bon ? Que voulait-il prouver ? Rien. Et il risquait de se casser une jambe en passant à travers le plancher vermoulu.

Tim dégringola les marches, prit un peu de recul et cria :

« Hou, hou ! Y a-t-il quelqu'un ? »

Puis il regagna sa voiture, non sans s'être

retourné et avoir adressé un petit signe d'adieu en direction de la maison, comme si quelqu'un se penchait à la fenêtre.

La nuit tomba brutalement.

Tim avait eu l'intention de raconter sa visite à son oncle, mais il eut honte de n'être pas entré dans la maison, finalement, et il ne dit rien. Il laissa son esprit vagabonder. Quand il avait neuf ans, à l'école, il était tombé amoureux d'une petite fille blonde. *Amoureux*, à cet âge ? Quelle absurdité ! Pourtant les sensations de l'amour étaient les mêmes à vingt ans et à neuf. C'était une question sans réponse : comment une certaine personne peut-elle avoir tant d'importance pour moi ? Tim se souvint d'avoir eu envie de fixer à la petite fille un rendez-vous à la maison vide, comme on l'appelait alors. Bien sûr, elle n'était pas venue. Qu'auraient dit les parents d'une enfant de huit ou neuf ans si, après dîner, elle avait déclaré qu'elle avait rendez-vous avec un garçon à la maison noire — ou à la maison vide — à un bon kilomètre de chez elle ? Non, il était plus facile d'imaginer qu'elle était réellement venue, qu'ils s'étaient embrassés, enlacés. Facile, également, d'imaginer que ce qu'il avait inventé et raconté à d'autres était vrai. C'était très exactement ce que faisaient tous les dimanches après l'office, et parfois le vendredi et le samedi soir, les grands enfants du White Horse.

Quand arriva le dimanche suivant, les idées de Tim avaient pris un tour différent, plus réaliste. Il se sentait calme, détaché, comme s'il voyait la situation — et la maison — avec une certaine distance. Aussi, lorsqu'il pénétra à midi et demie dans la taverne, vêtu de bottes et d'un anorak bleu vif, il avait la tête froide et la démarche assurée.

Ils étaient tous là, Ed Sanders, Frank Keynes et quelques autres, sans compter un ex-camarade de classe, Steve, dont il avait oublié le nom de famille, qui commençait par un « C ». Il fit un petit signe de tête à l'adresse de Ed, négligemment assis sur un tabouret, et se dirigea vers le bar, mais sans faire mine de vouloir les rejoindre ou au contraire de les éviter. A son habitude, il commanda une bière.

Au bout de quelques instants, Frank Keynes se tourna vers lui : « Alors, on s'est baladé ? Comment vas-tu, Tim ?

— Fort bien, merci ! » répondit Tim avec un sourire. Le miroir placé derrière les rangées de bouteilles lui renvoyait l'image d'un jeune homme aux joues rosies par sa promenade. Il se sentit ravi, heureux d'avoir vingt ans. Reflétée également par la glace, une jolie fille aux courts cheveux bruns se tenait dans un coin de la pièce, assise à une table. Tim l'avait bien vue en entrant, mais le miroir lui donnait l'occasion de l'examiner avec plaisir et sans se faire remarquer. Malheureusement, elle était accompagnée de deux jeunes gens. Tim leva sa chope, but, et pensa à ce qu'il allait raconter. L'occasion se présenta tandis qu'il entamait sa deuxième bière. Il s'était joint à la conversation des autres, quand, pendant quelques instants, un ange passa.

« A propos, je suis allé vendredi soir à la maison noire », dit Tim.

Il y eut un silence.

Puis Frank Keynes s'exclama :

« Vraiment ? Tu es entré ? »

Tim s'aperçut aussitôt que quatre hommes, dont Steve, le plus jeune, étaient tout ouïe. Il regretta de ne pouvoir raconter qu'il avait pénétré à l'intérieur.

« Non, je me suis borné à tourner autour, histoire de jeter un coup d'œil. Il n'y avait pas trace de vagabonds, ni rien. Personne. Je n'ai aperçu qu'une vieille canette de bière.

— Quelle heure était-il ? » Celui qui avait parlé s'appelait Grant Dunn. C'était un homme grand qui ouvrait rarement la bouche.

« Oh ! la nuit n'était pas encore tombée. Ce devait être un peu avant dix-huit heures. »

Ed Sanders, le visage congestionné, les lèvres entrouvertes comme pour dire quelque chose, échangea un regard avec Frank, qui se tenait à la droite de Tim. Frank s'éclaircit la voix :

« Tu n'es pas *entré* ? demanda-t-il.

— Non, je me suis contenté de *faire le tour* de la maison. »

Tim scruta le visage de Frank. Il souriait et pourtant ses sourcils étaient froncés.

Que signifiait leur réaction ? La maison *appartenait-elle* à l'un d'entre eux ? Et puis après ?

« Je n'ai pas ouvert la porte, non. Il n'y avait pas de loquet, d'ailleurs. Est-ce que c'est fermé ? »

Tim remarqua que Sam Eadie s'était joint à eux, son verre à la main.

« Absolument pas », répondit Frank en détachant les syllabes.

Ses yeux gris-bleu avaient pris l'éclat froid du métal. On aurait cru qu'il accusait Tim de violation de domicile ou de tentative de cambriolage.

Tim détourna son regard vers les tables où les femmes étaient assises et il croisa celui d'une des épouses. L'épouse de qui, exactement ? Il n'était pas sûr de la réponse.

Ed éclata soudain de rire.

« N'y retourne pas, mon garçon. Qu'est-ce que tu essaies de prouver, hein ? » Il sembla chercher l'approbation ou le soutien de Frank et de Grant.

« Qu'est-ce que tu essaies de prouver ? répétat-il.

— Rien du tout », répondit Tim d'un ton affable.

Ed est encore un peu parti, pensait-il. Il se sentait tolérant et sûr de lui-même, par comparaison. Ce n'était pas une chope et demie de bière qui pouvait lui monter à la tête. Il attendit un moment que la curieuse expression hostile ait disparu du visage de ses interlocuteurs, puis déclara :

« Mon oncle m'a raconté qu'un adolescent avait été tué, là-bas. »

Il avait instinctivement baissé la voix, de même que l'avait fait alors Roger. Un peu de transpiration lui glaçait le front.

« Exact, dit Frank Keynes. Ça t'intéresse ?

— Pas tellement. Je ne suis pas détective.

— Alors, tu as intérêt à laisser tomber, Tim. »

Sam Eadie lui sourit, tout en lui lançant un bref regard perçant. Il se tourna vers Frank comme pour obtenir confirmation, cligna de l'œil, puis lança à la ronde :

« Bon, je me tire, maintenant. Mon épouse s'impatiente. »

Il s'éloigna vers une table occupée par quatre femmes, silhouette rondouillarde revêtue de son beau costume bleu du dimanche. Frank et Ed émirent un discret gloussement.

« C'est elle qui le mène par le bout du nez », murmura quelqu'un. On entendit un ou deux rires.

Ed Sanders attaquait un nouveau whisky sec.

« Tu n'es jamais entré dans la maison quand tu étais môme, Tim ? demanda-t-il.

— Si, bien sûr ! A dix ou onze ans, nous l'avons tous fait. Par exemple, je me rappelle que pour la fête de Halloween, nous tournions autour avec nos potirons éclairés par des bougies. Et quelquefois... »

Les autres pouffèrent. Ceux qui se tenaient debout se balançaient d'avant en arrière dans leur hilarité.

Tim n'en revenait pas.

« Mais jamais plus tard ? interrogea Frank Keynes. Quand tu avais seize ans ? »

Non, et de cela, Tim se souvenait parfaitement. « A cet âge, dit-il, j'étais en pension ailleurs. J'y ai passé un an. » Il lui fallait alors préparer l'université. Tim sentait bien, voyait bien qu'il les avait en quelque sorte déçus, qu'il avait échoué à un autre examen. Un peu mal à l'aise, il demanda : « Y a-t-il un mystère autour de cet adolescent assassiné ? Peut-être est-ce que j'ignore un secret local ? » Il jeta un coup d'œil au barman. L'homme avait l'air extrêmement affairé. « Mais je ne veux pas me mêler de ce qui ne me concerne pas, ajouta-t-il, s'il s'agit vraiment d'un secret. »

Ed Sanders secoua la tête d'un air de profond ennui, puis vida son verre :

« Pas du tout, dit-il.

— Pas du tout, répéta Frank. Aucun secret. Rien que la vérité. »

Comme pour lui répondre, quelqu'un se mit à rire. Tim se retourna. C'était un homme qu'il ne connaissait pas. Grand, avec des cheveux noirs impeccablement coiffés, il portait un pull de cachemire et un foulard jaune et bleu. Visiblement, il faisait partie du groupe. Tim jeta de nouveau un bref coup d'œil à la jolie fille. Un sourire flottait sur ses lèvres, mais il ne lui était visiblement pas destiné. Tim ne put trouver aucun réconfort dans ce spectacle. Il pensa soudain à Linda, sa dernière petite amie, qui avait cessé de le voir parce qu'elle avait rencontré mieux que lui. Ce n'était qu'une amourette, mais il avait été blessé dans son amour-propre d'apprendre qu'elle ne reviendrait pas à Canfield. Tim avait envie de connaître une autre jeune fille, une aventure plus excitante que ses flirts d'étudiant.

« Cette affaire est limpide comme de l'eau de source, sûr... »

Le juke-box s'était mis en marche, pas trop fort, mais la chanson vibrait de tous ses cuivres et de toutes ses basses. Tim ne parvenait plus à distinguer chaque parole de ses interlocuteurs.

Ed s'éclipsa quand son épouse vint le chercher.

« Une histoire fantastique que celle dont tu parles, hurla Frank dans l'oreille de Tim. Un vrai drame. La fille était enceinte. Peut-être aimait-elle ce garçon. Elle avait dû... aller de nouveau à la maison noire pour le retrouver. »

Et son père avait tranché la gorge du garçon. Non, Tim n'allait pas évoquer cela. Il n'allait pas chercher à savoir la vérité, puisque son oncle avait parlé des soupçons qui pesaient sur le père.

Deux autres épouses vinrent quérir leur mari.

Quelques minutes plus tard, en regagnant la maison de son oncle, Tim eut l'impression que la bande du White Horse l'avait traité sans ménagement et s'était même moquée de lui. Certes, il n'était pas entré dans la maison, mais il n'avait pas été saisi de frayeur. De quoi aurait-il eu peur, en vérité ? Pourquoi cette atmosphère de drame, qui semblait inclure aussi bien Ed Sanders que ce type au foulard et à l'air pas commode ? La maison noire était-elle une sorte de club privé qu'ils avaient cessé de fréquenter ? Dans ce cas, pourquoi ne pas entrer dans la maison et, s'il s'en vantait, entrer du même coup dans le club ?

Tim se rendit compte qu'il était amer et en colère. Il lui fallait se calmer. Il ne dirait rien à son oncle. Roger éprouvait à l'égard de la maison noire la même vénération mystique que Frank et les autres.

Toute la journée du dimanche, il garda ses pensées pour lui. Cependant, il ne changea pas sa détermination de franchir le seuil de la maison. Le vendredi après-midi, il se sentit irrésistiblement poussé à effectuer l'opération le soir, bien qu'il eût projeté de le faire dans la soirée du samedi.

Lorsque, vers vingt-deux heures, Tim déclara à son oncle qu'il sortait une petite heure, celui-ci, l'œil rivé sur une émission de télévision, sembla à peine s'en apercevoir. Tim prit sa voiture et se dirigea vers le nord de Canfield.

Il se gara au même endroit que précédemment, sur le chemin de terre battue.

Autour de lui, l'obscurité était totale. Il lui fallut quelques secondes avant de distinguer des bouquets d'arbres voisins, qui se découpaient, sombres, sur le ciel sans étoiles. Tim alluma la torche électrique qu'il avait apportée et commença d'escalader le sentier caillouteux.

Dans le faisceau lumineux qu'il dirigeait alternativement sur la gauche et sur la droite, il n'apercevait qu'un terrain désert, en friche. Les marches apparurent. Il les monta. Avec une assurance qu'il n'avait pas éprouvée auparavant, il poussa la porte, qui céda à sa deuxième tentative. Tim balaya avec sa torche la pièce où il se trouvait. Apparemment, on entrait directement dans un vaste living-room. Il était vide. Les lames du parquet, larges d'une douzaine de centimètres, étaient grisâtres, fatiguées. Il avança un pied. Cela tenait bon. Il n'y avait aucun signe visible de pourriture du bois ou de lames manquantes. A droite, se trouvait un vestibule, ou bien un mur, qui dissimulait en partie un escalier. Tim s'avança avec précaution et cria :

« Hello ? » Il attendit un instant, puis reprit : « Y a-t-il quelqu'un ? »

Il souriait, comme s'il voulait avoir l'air aimable à l'égard d'une personne qu'il n'apercevait pas encore.

Pas de réponse. Nul frémissement à l'étage.

L'escalier craqua. La rampe et les marches étaient couvertes d'une fine poussière blanchâtre. Mais elles ne cédèrent pas. Au premier étage, un tapis râpé, dont un coin était replié, recouvrait le palier. Autant que Tim pouvait en juger, il n'y avait pas la moindre trace de mobilier. On n'apercevait même pas une chaise bancale dans aucune des quatre pièces. Chacune d'entre elles était de forme carrée. Un moineau, puis deux, dérangés par sa présence, jaillirent d'un angle du plafond et, dans un bruit d'ailes, gagnèrent l'extérieur par une fenêtre sans carreaux. Tim eut un rire nerveux. Il fit volte-face et dirigea le rayon de sa lampe vers la volée de marches qui conduisait au second.

Cette fois, la rampe et l'escalier étaient branlants. Tim entama son escalade en restant du côté du mur. Au second, il découvrit quatre autres pièces et une petite, sans doute les toilettes, bien qu'aucun appareil n'y demeurât. Du seuil de l'une des pièces, il parcourut les murs de sa lampe. Il découvrit un papier peint d'un rose fané, au motif indéfinissable, trois fenêtres aux carreaux à demi brisés. Le sol, mis à part l'omniprésente poussière claire, était nu. Il s'attendait à trouver une carpette, une vieille couverture, ou de la toile grossière. Rien. Le vide. Drôle d'endroit pour y inviter une fille !

Tim se sentait à la fois déçu et amusé.

« Hé ! » hurla-t-il.

Il crut entendre l'écho de sa voix.

Il se retourna, jeta un coup d'œil au palier obscur, au puits noir de l'escalier et, un moment, il fut pris de frayeur à l'idée des deux étages à descendre pour sortir. Il avala sa salive, se redressa, prit une profonde inspiration. L'air devait être frais, car les fenêtres étaient ouvertes, mais il sentait toujours l'odeur de poussière.

Des graffiti... Il y en avait certainement, compte tenu de ce qui s'était sans doute passé ici. Tim dirigea le faisceau de sa lampe vers le plancher de la chambre rose, éprouva la solidité de celui-ci, comme il l'avait fait pour chaque pièce, et s'avança vers le mur du fond. Là, il promena lentement le faisceau sur une large surface de papier peint décoloré par le soleil, à la recherche de traces de crayon, d'initiales. Il ne trouva rien. Il examina rapidement les trois autres murs, passa sur le palier et, toujours avec prudence, pénétra dans une autre chambre. Le papier peint, dans son ensemble, avait été arraché et gisait en rouleaux sur le sol. Les lambeaux qui restaient collés étaient d'un jaune sale. Tim saisit un rouleau et le défit par curiosité. Rien n'était inscrit dessus.

Il n'y avait nulle casquette, nul gant oubliés sur le sol. « Pas même une chaussette ! » s'exclama Tim à haute voix, et il pouffa.

Le courage afflua de nouveau en lui. Bon, il avait visité l'endroit. Le plancher tenait le coup. Les fantômes ne couraient pas les couloirs et aucun vagabond ne se servait de la maison comme d'un gîte, malgré l'approche de l'hiver.

Les deux autres pièces n'étaient pas plus riches. Tim décida de descendre. Il avait envie de dévaler les escaliers, mais il se contrôla. Une marche pouvait encore céder sous son poids et il n'avait aucune envie de se casser une jambe ou une cheville. Une fois au rez-de-chaussée, il se retourna et adressa un éclat de rire au tunnel noir de la cage d'escalier.

Jeter un regard dans la pièce fermée, là-bas, au fond ? Pourquoi pas ? Elle se révéla contenir les vestiges d'une cuisine. Il s'y trouvait encore un évier blanc strié, mais on n'apercevait aucun robinet. Quatre marques sur le linoléum vert et blanc indiquaient l'emplacement antérieur d'un poêle.

Cela suffisait.

« Hou, hou-ou ! » cria Tim, jusqu'à ce que sa voix se brisât.

Il ouvrit la porte, puis, soigneusement, comme s'il s'observait en train d'agir, il la referma en plaçant bien ses doigts dans les trous correspondant au loquet.

C'était bon de se retrouver sur la terre ferme, d'entendre crisser le gravier sous ses tennis.

Tout en conduisant par les rues familières, il souriait. Il était sain et sauf. Oui, mais par rapport à quoi ? Dans la maison noire, aucun sinistre grincement de porte, aucun courant d'air sifflant n'avaient suggéré le gémissement d'un fantôme. En même temps qu'il éprouvait de la fierté pour avoir exploré chaque pièce, il se rendait compte que ce sentiment était stupide, infantile. Mieux valait oublier cette satisfaction et exposer le fait dimanche à la taverne, sans fioritures.

A moins qu'il ne le fît maintenant ? Tim regarda sa montre. Il n'était pas minuit. Il resterait bien deux ou trois consommateurs au White Horse. Sinon, il s'offrirait une petite bière.

En cette soirée du vendredi, la taverne était effectivement animée. Elle brillait de tous ses feux : des ampoules jaunes illuminaient le rebord du toit et un carré de lumière, jaune aussi, éclaira le sol quand un couple ouvrit la porte et sortit. Tim gara sa voiture et entra. La musique qu'il entendait faiblement l'assaillit, presque aussi forte que dans une discothèque. Bien sûr, le vendredi soir n'avait rien de commun avec le dimanche après l'office !

Et la petite bande était là, à la même place que le dimanche, mais avec des vêtements différents. Frank Keynes portait un blue-jean et un pull à col roulé. Ed Sanders était en salopette, comme s'il venait de faire de la peinture ou de réparer sa voiture, ce qui était peut-être vrai, après tout.

« 'Soir, Ed ! hurla Tim par-dessus le vacarme, 'soir, Frank ! »

Il souriait et saluait de la tête.

« Timmy ! s'exclama Frank. Tu sors en ville, maintenant ? »

Ed se mit à rire. Visiblement, pour lui, la ville n'avait rien de bien excitant.

Tim acquiesça et, dès qu'il put capter le regard du barman, il commanda une bière à la pression.

Puis il vit Sam Eadie se détourner du juke-box qu'il venait à l'évidence d'alimenter en pièces de monnaie. Eadie avait un verre à la main. Les tables, où se tenaient en majorité des jeunes gens et leurs petites amies, n'étaient pas toutes occupées.

« Tu ne te promènes quand même pas dans les bois à cette heure-ci, Tim ? interrogea Ed.

— Non-on. » Tim sirota la bière qu'on venait de lui servir. « Non. En fait, je suis monté à la maison noire. A l'instant. J'ai recommencé. »

Il s'essuya la bouche d'un revers de main.

« Vraiment ? » demanda Frank.

Tim vit qu'il avait aussitôt attiré leur attention, même celle de Sam Eadie, qui se trouvait à portée de voix.

« Tu y es entré ? »

La voix de Frank était sèche. On aurait dit que la réponse de Tim avait une importance capitale.

Tim savait qu'en fait, pour eux, elle était importante.

« Oui. J'avais une lampe-torche. J'ai examiné toutes les pièces, jusqu'au second. Nulle trace de vagabonds. Ou de quoi que ce soit. »

Il lui fallait articuler et parler fort, à cause du juke-box qui passait une chanson où il était question de *l'or... de ses cheveux, de ses yeux... ce paradis merveilleux...*

Tous trois le dévisagèrent. Frank, les sourcils froncés, avait un air perplexe. Il semblait un peu parti et ses yeux étaient injectés de sang. Peut-être Frank ne le croyait-il pas.

« Rien, vraiment, reprit Tim en haussant les épaules. Tout était tranquille.

— Que veux-tu dire par là ? demanda Frank.

— Du calme, Frank », dit Sam Eadie.

Il prit un paquet de cigarettes de sa poche et en extirpa une directement avec sa bouche.

« J'ai cru — Tim essayait de couvrir la musique — que vous pensiez l'endroit occupé. Pas du tout ! Il n'y a même aucun graffiti intéressant malgré tout le... toute la... »

Tim ne trouvait pas l'expression adéquate. Comment appelait-on le fait d'amener ou de rencontrer là-bas une fille et de lui faire l'amour sur le sol nu, à moins que l'un ou l'autre n'ait pensé à apporter une couverture ? Tim dansa d'un pied sur l'autre, puis se mit à rire.

« *Rien* ! C'est vide. »

Il scruta le visage des trois hommes, s'attendant à un sourire, un hochement de tête approbateur, car, après tout, il avait examiné les lieux en pleine nuit.

Chacun avait une expression légèrement différente des autres, mais, chez tous, on retrouvait un air de déception et, peut-être, une pointe de désapprobation. Tim se sentit mal à l'aise. Le visage de Sam Eadie reflétait en outre le mépris. La longue figure de Ed exprimait la tristesse. Frank Keynes avait une lueur dans le regard.

Ed se mit soudain à rire, sans cesser cependant de froncer les sourcils.

« Rien ? s'exclama Frank. Eh bien, mon garçon, tu ferais mieux de sortir d'ici. »

Tim rit à son tour. Il comprenait ce que Frank entendait par là : c'était un défi à la réputation, au charisme de la maison noire. Que devait-il répondre ? Qu'il avait rencontré là-bas bon nombre de *souvenirs* ? Le spectre ou le visage fantomatique de jolies adolescentes ? Dans quelle pièce le garçon avait-il été égorgé ? se demanda-t-il soudain.

Sam Eadie appela le barman en frappant le comptoir de son verre vide.

La chanson du juke-box mourut sur un langoureux « *paradis merveilleu-eux* ».

« J'ai dit : Sors d'ici », répéta Frank en empoignant la manche de Tim.

Celui-là avait l'alcool et la quarantaine agressifs... Tim se retrouva en train d'accompagner Frank, qui chaloupait légèrement, en direction de la porte. Tim souriait toujours un peu. Il en avait envie. Qu'avait-il fait pour leur déplaire, à tous et à Frank en particulier ? Rien.

Dès qu'ils furent dehors, Tim, qui avait passé le seuil devant Frank, se retourna pour lui parler. En guise de réponse, il reçut un coup de poing à la mâchoire. Tim ne s'y attendait pas. Il chancela et s'écroula sur le gravier, mais se releva d'un bond. Il n'eut pas le temps d'ouvrir la bouche, ni de se mettre en garde. Frank le frappait déjà au creux de l'estomac. Une violente bourrade au torse suivit, puis il reçut un choc à l'arrière du crâne.

« Frank ! Assez ! » hurla une voix.

Tim, allongé sur le dos, entendit un bruit de pas sur le gravier, d'autres voix.

« Il saigne de la tête !

— D'accord, d'accord ! Je n'avais pas l'intention de le mettre *K.O.* ! »

Tim lutta pour rester conscient. Il tenta de se relever, mais il ne pouvait même pas remuer les bras.

« Ne bouge pas, petit. On va chercher une serviette humide. » La voix devait être celle de Sam Eadie, silhouette accroupie à la droite de Tim.

« Un docteur, peut-être ? Ou une ambulance ?

— Ouais... sa tête... »

Tim voulait leur dire, *c'est une belle, une fantastique maison. Je vois encore les moulures couleur d'ivoire aujourd'hui couvertes de poussière et le parquet qui n'a pas cédé sous mon poids. Je ne voulais pas faire insulte à la maison noire, me moquer de la maison noire.* Mais il était incapable d'articuler ces mots, pire, il s'entendait gémir et il se sentait honteux, effrayé, de ne pouvoir contrôler les sons stupides qui lui sortaient de la gorge.

« ... Le sang lui coule de la bouche ! Regardez ! »

Le hurlement d'une sirène approcha, s'arrêta.

« Cette maison... », dit Tim et du sang tiède ruissela sur son menton.

D'autres pieds firent crisser le gravier.

« Allez-y ! »

Le corps de Tim fut soulevé brusquement. Il se sentit affreusement mal. Il allait s'évanouir, ou mourir, peut-être. S'il était mort, ses pensées, ses rêves, étaient pires qu'auparavant. Il voyait le sombre intérieur d'une pièce de la maison noire et Frank Keynes qui, jailli d'un coin, se dirigeait vers lui, tenant à deux mains une sorte de club, et souriait en s'apprêtant à le frapper. Sur le palier obscur se tenait Ed, un faible sourire aux lèvres. Derrière lui, juste assez visible pour qu'on le reconnaisse, Sam Eadie souriait aussi d'un air inamical, ajustant sa ceinture un peu au-dessus de sa bedaine, comme s'il allait être témoin d'un spectacle agréable. *Tu as échoué, Tim*, disaient-ils. Et : *Rien ? Rien ?* Leur ton railleur suggérait que Tim avait scellé son destin en prononçant ce mot à propos de la maison noire. Tim s'en rendait clairement compte, à présent qu'il voyageait dans l'espace, vers l'enfer, peut-être, vers ce temps d'après la vie qui pourrait bien durer toujours.

Cette fois, dans l'espace où il évoluait, il y avait du bruit. Ses oreilles bourdonnaient. Il était secoué par le voyage. Des voix lui parvenaient à travers un ululement. Il sentit qu'on lui touchait l'épaule.

« C'est Ed, entendit-il. Tu sais, Frank n'avait pas l'intention de frapper si fort. Même, il était trop bouleversé pour monter avec nous. Il est...

— Vous, Ed — c'est bien votre nom ? — taisez-vous, s'il vous plaît, dit une autre voix, plus basse... Parce que... On vous a fait une faveur en vous laissant monter... »

Tim était incapable de parler, mais les mots se pressaient en foule à son oreille. Il comprenait. C'était tout ce qu'il souhaitait dire. La maison avait une importance capitale et il l'avait traitée comme si elle était... rien. Il se remémora les paroles de Frank un peu plus tôt : « Rien ? Rien ? » Mais mourir pour cette erreur ? Etait-ce sérieux ? Les mots ne vinrent pas. Tim remua les lèvres, que le sang scellait. Ses paupières semblaient aussi lourdes que ses bras. On lui avait fait une piqûre au bras, longtemps auparavant.

A présent, les deux hommes qui se trouvaient avec lui dans l'ambulance se querellaient. Leurs voix vibraient, tel le souffle d'un vent mauvais. Quelquefois c'était une seule voix, quelquefois les deux ensemble. Tim vit le club dans les mains de Sam Eadie qui souriait. Sam allait le tuer.

Timothy Clarke tomba dans le coma et n'en sortit pas. Son oncle Roger vint lui rendre visite. Ses lèvres étaient toujours entrouvertes, nettoyées maintenant du sang qui avait cessé de couler et un mince tube fournisseur d'oxygène lui passait dans une narine. Ses yeux étaient entrouverts également, mais il ne voyait plus rien, n'entendait plus rien. Il mourut le troisième jour.

Frank Keynes comparut devant le tribunal. Il s'était déjà rendu chez Roger Clarke, avait présenté ses excuses et exprimé ses regrets et son chagrin d'avoir causé la mort du jeune homme. Le juge considéra qu'il s'agissait d'un homicide. Frank Keynes n'alla pas en prison : il dut payer une amende et reçut l'interdiction de boire de l'alcool dans un lieu public pendant six mois, sous peine de se voir retirer son permis pendant deux ans. Il obéit. Cela ne l'empêcha pas de se rendre à nouveau au White Horse, où il buvait du soda et du Coca-Cola, qu'il avait tous les deux en horreur.

Il lui semblait que ses vieux copains l'aimaient moins qu'avant, qu'ils se tenaient à une curieuse distance de lui. En fait, il n'en était pas certain, car en même temps, ils tentaient de lui remonter le moral en lui rappelant qu'il n'avait pas voulu faire quelque chose d'aussi grave, que c'était un coup de malchance si le garçon s'était, en tombant, ouvert la tête sur la bordure du parking, constituée de pierres grosses comme la tête d'un homme.

Puis vint le dimanche d'avril où Frank put légalement consommer de l'alcool. Avec ses amis, il se tenait au comptoir du White Horse, tandis que les épouses étaient assises autour des petites tables. A son second scotch, qui comptait pour quatre, car sa femme Helen s'était montrée intraitable sur l'alcool chez eux comme si leur maison était un « endroit public », Frank dit à Ed et à Sam :

« N'importe lequel d'entre nous aurait pu le faire, vous ne pensez pas ? »

Grant se tenait non loin de lui et Frank l'incluait dans son interrogation.

Frank vit que Ed mettait une seconde avant de saisir ce dont il parlait, puis Ed lança un coup d'œil à Sam Eadie.

Personne ne répondit.

« Pourquoi ne l'admettez-vous pas ? reprit Frank. Vous étiez tous un peu... ennuyés ce soir-là, au même titre que moi. »

Ed, dans son costume du dimanche, cravate de soie et chemise blanche, s'approcha de Frank à le toucher.

« Tu ferais mieux de la *fermer*, Frank », sifflat-il, les dents serrées.

Il ne l'admettra pas. Aucun ne l'admettra, pensa Frank. *Les lâches !* Mais il n'osa pas prononcer un mot de plus. Aussi lâches qu'ils étaient avec leur épouse. Et là, il admettait qu'il ne devait pas faire exception pour lui. Parlaient-ils jamais à leur femme de ce qu'ils avaient fait, adolescents, dans la maison noire ? Non. Parce que les épouses n'étaient pas, pour la plupart — Frank en était sûr — les mêmes que les filles auxquelles ils fixaient rendez-vous à la maison noire. Frank comprenait, plus ou moins : ils étaient comme les membres d'un club, peut-être, et un club avait ses règles. Il y avait des choses, des faits, qui existaient et dont pourtant on ne parlait pas. On pouvait aller jusqu'à se vanter, mais parler, non.

« Très bien ! » dit Frank. S'il se sentait blâmé, il n'était nullement ébranlé. Nullement dompté; pas le moins du monde. Il se redressa, finit son verre et jeta un regard à Ed et à Sam avant de le reposer sur le comptoir. Ils éprouvaient un certain respect pour son geste, cela, il en était sûr. Toutefois ce respect, à l'égal d'autres choses, d'autres faits, aucun d'entre eux ne le traduirait jamais par des mots.

UN ALIBI PARFAIT

Titre original de la nouvelle
THE PERFECT ALIBI

La foule progressait, tel un monstre dépourvu de regard et d'esprit, vers l'entrée du métro. Des pieds avançaient de quelques centimètres, s'arrêtaient, repartaient. Howard haïssait les foules. Elles lui inspiraient une peur panique. Il avait le doigt sur la détente et, pendant quelques secondes, il dut faire un effort pour ne pas appuyer dessus, pour lutter contre cette impulsion presque incontrôlable.

Il avait décousu le fond de la poche de son manteau, dans laquelle il tenait maintenant le revolver de sa main gantée. Le dos large et trapu de George se trouvait à une cinquantaine de centimètres devant lui, mais une ou deux personnes étaient intercalées entre eux. En jouant des épaules, Howard parvint enfin à se tenir tout contre George.

Il ajusta le revolver dans sa poche. Une femme heurta son bras droit; il garda pourtant son arme braquée sur le creux du dos de George. Un effluve du cigare de George lui chatouilla les narines, familier et écœurant. L'entrée du métro était à moins de deux mètres. *Dans les cinq secondes*, se dit Howard. Simultanément, sa main gauche repoussa le pan droit de son manteau déboutonné en un mouvement inachevé et, une seconde plus tard, le coup partait.

Une femme hurla.

Howard laissa tomber le revolver à travers la poche décousue.

Lorsque la détonation avait retenti, la foule s'était instinctivement écartée, entraînant Howard dans son reflux. Devant lui, quelques personnes formaient un écran mouvant, mais il eut le temps d'apercevoir George allongé sur le trottoir, le cigare à demi fumé entre ses dents que les lèvres, dans un dernier soubresaut, vinrent recouvrir.

« On a tiré sur lui! » cria quelqu'un.

« Qui ça? »

« Où donc? »

La foule se précipita en avant avec un rugissement de curiosité et Howard se trouva porté jusqu'au corps de George.

« Reculez, vous allez le piétiner! » ordonna une voix d'homme.

Howard se dégagea et descendit les escaliers du métro. Le bruit des rames couvrit le brouhaha des voix. Autour de lui, maintenant, personne ne semblait se douter qu'un homme mort gisait au sommet des marches. Pourquoi ne pas sortir par une autre issue et aller chercher sa voiture, qu'il avait garée en hâte dans la 35ᵉ Rue, non loin de Broadway? Non. Il pourrait se trouver nez à nez avec quelqu'un qui l'aurait vu près de George dans la foule. Howard était très grand. On devait le remarquer facilement. Il pourrait récupérer sa voiture un peu plus tard. Il regarda sa montre. Dix-sept heures quarante-cinq exactement.

Il prit une rame qui allait vers le centre. Habituellement, il était très sensible au bruit et le grincement du métro, acier sur acier, lui était une intolérable torture, mais à présent, il l'oubliait et s'accrochait à une poignée, reconnaissant de leur indifférence aux autres passagers plongés dans leur journal. Sa main droite, toujours glissée dans sa poche, en chercha automatiquement le fond. Il faudrait qu'il recouse cela dès ce soir. Il baissa les yeux et découvrit — le choc lui fut presque douloureux — que la balle avait troué le tissu. Il sortit rapidement sa main de sa poche et la plaça sur le trou, sans quitter des yeux le placard publicitaire qui lui faisait face.

Il fronça les sourcils, se remémorant toute la scène et tentant de voir s'il avait commis une erreur quelque part. Il avait quitté le magasin un peu plus tôt qu'à son habitude — à dix-sept heures quinze — afin de se trouver à dix-sept heures trente dans la 34ᵉ Rue, près de la station de métro, au moment où George quittait toujours le sien. Son patron, M. Luther, lui avait dit : « Alors, Howard, on a fini de bonne heure aujourd'hui ? » Toutefois, comme cela lui était arrivé de temps à autre, M. Luther n'en tirerait aucune conclusion. Il avait essuyé le revolver à l'intérieur et à l'extérieur, ainsi que les balles. Ce revolver, il l'avait acheté cinq semaines auparavant dans le Vermont, à Bennington, et on ne lui avait pas demandé son nom. Il n'était jamais allé à Bennington auparavant et il n'y était pas revenu. La police ne pourrait remonter jusque-là. Et personne ne l'avait vu tirer, il en était sûr. Personne ne l'avait regardé quand il était descendu dans le métro.

Howard avait projeté de changer de direction au bout d'un petit nombre de stations et de retourner prendre sa voiture. A présent, néanmoins, il devait plutôt penser à se débarrasser d'abord du manteau. Il était trop dangereux de faire stopper ce genre de trou. Cela ne ressemblait pas à une brûlure de cigarette; cela ressemblait bien à ce que c'était... Il lui fallait faire vite. Sa voiture était à moins de quatre cents mètres de l'endroit où il avait tiré sur George. On l'interrogerait probablement dans la soirée sur George Frizell, car la police poserait certainement des questions à Mary et si elle ne mentionnait pas son nom, sa logeuse ou la sienne propre ne manquerait pas de le faire. George avait si peu d'amis...

Il pensa se débarrasser du manteau en le jetant dans une corbeille dans l'enceinte du métro. Mais trop de gens en seraient témoins. Faire la même chose dans la rue ? Le problème était identique — après tout, c'était un manteau presque neuf. Non, il devait retourner chez lui et l'envelopper d'abord dans quelque chose.

Howard sortit du métro à la station de la 72e Rue. Il habitait un petit appartement au rez-de-chaussée d'un immeuble de la 71e Rue ouest, près de West End Avenue. Quand il rentra chez lui, il ne vit personne. C'était bon signe, car il pourrait toujours dire qu'il avait regagné son domicile à dix-sept heures trente au lieu de dix-huit heures ou presque. Dès qu'il fut à l'intérieur, il sut, en allumant la lumière, ce qu'il ferait du manteau : il le brûlerait dans la cheminée. C'était la solution la plus sûre.

Il ôta un peu de monnaie et un paquet de cigarettes aplati de la poche gauche du manteau, enleva celui-ci et le lança sur le canapé. Puis il prit le téléphone et composa le numéro de Mary.

Elle répondit à la troisième sonnerie.

« Mary ? dit-il. C'est fait, ma chérie. »

Il y eut une seconde d'hésitation à l'autre bout

du fil. « C'est... fait ? *Vraiment*, Howard ? Tu ne... »

Non, il ne plaisantait pas. Il ne savait que lui dire d'autre, qu'oser lui dire d'autre au téléphone.

« Je t'aime. Prends bien garde à toi, ma chérie », articula-t-il sans y penser.

« Oh ! Howard ! »

Elle s'était mise à pleurer.

« Mary, la police va probablement venir te parler. Peut-être même dans quelques minutes. »

Il serra l'appareil dans son désir de la prendre dans ses bras, d'embrasser ses joues qui devaient être pleines de larmes.

« Ne *parle* pas de moi, ma chérie, quoi qu'il arrive. Maintenant, il faut que je me dépêche; j'ai beaucoup de choses à faire. Si ta logeuse me mentionne, ne t'inquiète pas, je me débrouillerai, mais n'en fais rien la première. Tu comprends ? »

Il se rendait compte qu'il lui parlait à nouveau comme à une enfant et que ce n'était pas bon pour elle; ce n'était toutefois pas le moment de penser à ce genre de choses.

« Tu comprends, Mary ?

— Oui, dit-elle d'une petite voix.

— Il ne faut pas que tu sois en train de pleurer quand la police arrivera, Mary. Lave-toi le visage et ressaisis-toi... »

Il s'interrompit.

« Va au cinéma, mon ange, tu veux bien ? Avant que la police ne soit là.

— Entendu.

— Promets-le-moi !

— Entendu. »

Il raccrocha et s'approcha de la cheminée. Il froissa quelques journaux, disposa un peu de petit bois dessus et craqua une allumette. Mary aimait les feux dans la cheminée et il était heureux à présent d'avoir une réserve de bois. Avant de la rencontrer, il avait passé des mois dans cet appartement sans penser à allumer un feu.

Mary habitait en face de chez George, dans la 18e Rue ouest. En bonne logique, la police se rendrait d'abord chez George et interrogerait sa logeuse : il vivait seul et il n'y avait personne d'autre à questionner. Cette femme... Howard se souvenait de l'avoir aperçue qui se penchait par la fenêtre l'été dernier, cheveux gris et silhouette étriquée, surveillant avec une abominable attention les faits et gestes de ses locataires. Elle se ferait un plaisir de raconter que M. Frizell passait pas mal de temps avec une jeune fille vivant dans l'immeuble voisin. Howard espérait toutefois qu'elle ne le mentionnerait pas sur-le-champ, car elle serait bien capable de deviner que le jeune homme qui rendait si souvent visite en voiture à Mary était son petit ami et de suspecter quelque jalousie entre George et lui. Mais elle ne parlerait peut-être pas de lui. Et peut-être que Mary ne serait pas chez elle quand la police arriverait.

Pendant un moment, il cessa d'ajouter du bois au feu qui se préparait. Tendu, il essayait d'imaginer les sentiments qu'éprouvait actuellement Mary, après avoir appris la mort de George Frizell. Il essayait de les ressentir à sa place afin de prévoir sa conduite à venir et de la réconforter. *La réconforter*! Alors qu'il l'avait débarrassée d'un monstre! Elle aurait dû être en train de se réjouir. Il n'ignorait cependant pas qu'elle serait bouleversée, dans un premier temps. Elle connaissait George depuis qu'elle était petite. George avait été le meilleur ami de son père — mais Howard imaginait facilement qu'il avait un comportement différent avec un homme, évidemment — et lorsqu'il était mort, George, qui était célibataire, avait pris Mary en charge comme s'il était son propre père. A cette différence près qu'il contrôlait le moindre de ses mouvements, et qu'il l'avait convaincue de ne rien faire sans son assentiment, en particulier épouser quelqu'un qui ne lui plairait pas. C'est-à-dire tous les hommes. Howard, par exemple. Mary lui avait raconté que George avait écarté d'elle deux autres jeunes gens.

Mais Howard n'avait pas été écarté. Il n'avait pas accepté les mensonges de George lorsqu'il lui racontait que Mary était souffrante, ou trop fatiguée, pour sortir ou voir qui que ce soit. George n'avait pas hésité à lui téléphoner à plusieurs reprises pour tenter d'annuler leurs rendez-vous, mais Howard était allé la prendre chez elle et avait passé de nombreuses soirées dehors en sa compagnie, malgré la terreur qu'éprouvait la jeune fille devant les colères de George. Bien que Mary eût vingt-trois ans, George refusait de la faire sortir de l'enfance. Elle ne pouvait même pas aller s'acheter une robe sans lui. Jamais Howard n'avait rien vu de semblable. On se serait cru dans un mauvais rêve, ou dans une histoire fantastique, absolument incroyable. Howard supposait que George était d'une étrange façon amoureux d'elle et il avait interrogé Mary à ce sujet peu après leur première rencontre. « Pas du tout ! s'était-elle exclamée. Il ne me touche sous aucun prétexte ! » Et c'était vrai. Un jour où ils se disaient au revoir, George l'avait heurtée à l'épaule; il avait bondi en arrière, tel un homme qui se brûle, en disant : « Excuse-moi. » Bizarre.

Pourtant, c'était comme si George avait emprisonné l'esprit de Mary, comme si, prisonnière de son esprit à lui, elle avait été dépossédée du sien. Howard ne parvenait pas à trouver les mots pour qualifier cela. Mary avait des yeux sombres, d'une douceur où se lisait une tristesse tragique, désespérée, qui rendait quelquefois Howard fou de rage à l'égard du responsable de cette situation. Et le responsable, c'était George Frizell. Howard se souviendrait toujours du regard que lui avait lancé George lorsque Mary les avait présentés, le regard supérieur, moqueur, de l'homme à qui on ne raconte pas d'histoires. Tu peux toujours essayer, semblait-il dire. Je sais ce que tu prépares. Mais tu n'iras pas bien loin.

George Frizell était un homme trapu, plutôt noiraud, avec une mâchoire lourde et d'épais sourcils noirs. Il tenait une petite boutique de réfection de chaises, dans la 36ᵉ Rue ouest, mais, aux yeux de Howard, il n'avait d'intérêt dans la vie que pour Mary. Quand il était en sa compagnie, il se concentrait entièrement sur elle, comme s'il l'hypnotisait. Et Mary se comportait comme si elle était hypnotisée. Quand George était là, elle n'était pas elle-même. Elle gardait les yeux fixés sur lui ou quêtait son approbation en jetant un regard par-dessus son épaule, même si c'était pour retirer des côtelettes du feu.

Mary aimait George tout en le haïssant. Howard était parvenu à lui faire ressentir de la haine à son égard, mais seulement jusqu'à un certain point, au-delà duquel elle se mettait brusquement à le défendre. « George a été si gentil pour moi après la mort de mon père, quand je me suis retrouvée seule... » protestait-elle. Ainsi avaient-ils évolué entre deux eaux pendant presque un an. Howard tentait de court-circuiter George et de voir Mary plusieurs fois par semaine, Mary hésitait entre continuer de le voir et rompre, car elle se rendait bien compte qu'elle le faisait beaucoup souffrir. « Je veux t'épouser », lui avait dit

Howard à maintes reprises, lorsque Mary avait ses éprouvants accès de culpabilité. Il n'était jamais parvenu à la persuader qu'il était capable de tout pour elle. « Je t'aime aussi, Howard », avait-elle souvent répété, mais avec la tristesse du prisonnier qui ne peut découvrir le moyen de s'évader. Il y avait pourtant un moyen, brutal et radical. Howard l'avait employé.

Il était maintenant à genoux devant la cheminée et tentait de déchirer le manteau en lambeaux suffisamment menus pour pouvoir brûler. Le tweed était incroyablement difficile à découper; les coutures elles-mêmes se laissaient mal découdre. Il essaya de le brûler sans le déchirer. Il enflamma un angle du vêtement, mais les flammes se bornèrent à ramper sur le tissu, qu'on aurait pu croire ignifugé. Il faudrait qu'il le découpe en tout petits bouts et qu'il augmente le feu.

Howard ajouta du bois dans la cheminée. Elle était faite à l'économie, avec une grille de fer arrondie et peu de place où mettre le bois : celui qu'il y avait placé débordait sur le devant. Armé de ses ciseaux, il attaqua de nouveau le manteau. Il mit plusieurs minutes pour défaire une manche et dut ouvrir une fenêtre pour évacuer un peu l'odeur de tissu brûlé.

Le manteau mit presque une heure à se consumer, car Howard ne pouvait ajouter trop de tissu sans étouffer le feu. Tout en regardant les flammes lécher le dernier lambeau, il pensait à Mary. Il imaginait son visage blanc, apeuré, lorsque la police arriverait et qu'elle serait informée pour la seconde fois de la mort de George. Il essayait d'envisager le pire : que la police était arrivée juste après son coup de téléphone et que Mary avait commis quelque bévue, montrant qu'elle connaissait déjà la nouvelle mais se montrant incapable de dire d'où elle la tenait; ou bien que, dans son hystérie, elle avait donné son nom, Howard Quinn, comme étant celui de l'auteur possible du crime.

Howard s'humecta les lèvres. Il était soudain terrifié à l'idée qu'il ne pouvait compter sur Mary. Elle l'aimait — il en était sûr — mais elle ne pouvait compter sur elle-même.

Pendant un bref moment, Howard eut envie de se précipiter dans la 18ᵉ Rue ouest pour être auprès d'elle à l'arrivée de la police. Il se vit face aux policiers, entourant ses épaules d'un air de défi, répondant à chaque question, parant chaque soupçon. Mais c'était de la folie. Le seul fait qu'il fût là, dans l'appartement de Mary...

On frappa. Il avait entendu des personnes passer la porte d'entrée de l'immeuble, peu de temps auparavant, mais il n'avait pas pensé que c'était pour lui. Il s'aperçut qu'il tremblait.

« Qui est là ? demanda-t-il.

— Police. Nous cherchons Howard Quinn. Est-ce bien l'appartement I A ? »

Howard jeta un regard à la cheminée. Le manteau avait entièrement brûlé. Ne restaient dans le feu que quelques braises rougeoyantes. D'ailleurs, le manteau ne les intéresserait pas. Ils venaient juste pour l'interroger, comme ils avaient interrogé Mary. Il ouvrit la porte :

« Je suis Howard Quinn », dit-il.

Ils étaient deux. Ils pénétrèrent dans la pièce et jetèrent un œil à la cheminée. L'odeur de tissu brûlé demeurait encore dans la pièce.

« Je suppose que vous savez pourquoi nous sommes ici, dit le plus grand. Accompagnez-nous au commissariat ». Il jeta à Howard un regard qui n'était pas particulièrement amical.

Un instant, Howard crut qu'il allait s'évanouir. Mary avait dû tout leur dire. Tout.

« Je vous suis », répondit-il.

Le plus petit fixait la cheminée.

« Qu'est-ce que vous avez fait brûler ? Des vêtements ?

— Oui. Juste... quelques vieux habits. »

Les policiers échangèrent un regard, peut-être amusé, et ne firent aucun commentaire. Ils étaient si sûrs de sa culpabilité, pensa Howard, qu'ils ne lui posaient aucune question. Ils avaient deviné ce qu'il avait brûlé et pourquoi. Howard enfila son imperméable et les suivit.

Une voiture de police était garée devant le trottoir. Howard se demanda ce qu'il advenait de Mary. Elle n'avait pas voulu le trahir, il en était sûr. C'était elle qui avait dû se trahir et les policiers en avaient profité pour l'interroger jusqu'à ce qu'elle craque. A moins qu'elle ne les eût reçus dans un état tel qu'elle leur avait tout dit sans même s'en rendre compte. Howard s'en voulut de ne pas avoir pris plus de précautions avec Mary. Il aurait dû l'avoir éloignée de la ville. Il l'avait prévenue la veille au soir, afin que cela ne constitue pas un choc pour elle. Quel idiot il était ! Comme il la connaissait mal, au fond, malgré tous ses efforts ! Il aurait mieux fait de tuer George et de n'en pas parler.

La voiture s'arrêta. Howard n'avait prêté aucune attention au trajet. Il ne remarqua pas plus l'endroit où ils se trouvaient. Il entra dans un grand bâtiment, accompagné par les deux hommes, puis pénétra dans une pièce qui ressemblait à la salle d'un petit tribunal. Un officier de police en uniforme était assis derrière un grand bureau, semblable à un juge.

« Nous vous avons amené Howard Quinn », dit un de ses accompagnateurs.

L'officier l'examina avec intérêt.

« Howard Quinn, le jeune homme pressé, déclara-t-il avec un sourire sarcastique. Vous êtes le Howard Quinn qui connaît Mary Purvis ?

— Oui.

— Et George Frizell ?

— Oui, murmura-t-il.

— C'est bien ce que je pensais. L'adresse correspond. Je viens de parler aux gars de la Criminelle. Ils veulent vous poser des questions. Sale histoire, là aussi. La soirée est plutôt agitée pour vous, hein ? »

Howard ne comprenait plus très bien. Son regard fit le tour de la pièce, à la recherche de Mary. Deux autres policiers étaient assis sur un banc, contre le mur, et un homme aux habits élimés dormait sur un autre, mais Mary n'était pas là.

« Savez-vous pourquoi vous êtes ici, monsieur Quinn ? interrogea l'officier de police d'un ton hostile.

— Oui. » Howard contemplait les pieds du grand bureau. En lui, quelque chose s'effondrait — la charpente parfaitement imaginaire qui l'avait soutenu durant les heures passées — le sentiment que tuer George Frizell avait été un devoir, un geste par lequel il délivrait la jeune fille qu'il aimait et dont il était aimé, débarrassant ainsi l'univers d'un monstre hideux et maléfique. A présent, sous le regard froid, professionnel, des trois policiers, Howard voyait ce qu'il avait fait sous le même angle qu'eux : il avait pris la vie d'un homme et rien d'autre. Et la jeune fille pour laquelle il avait fait cela l'avait trahi ! Qu'elle l'ait voulu ou non. Howard se cacha la tête dans les mains.

« Je conçois que le meurtre de quelqu'un de votre connaissance vous eût bouleversé, monsieur Quinn, mais à dix-sept heures quarante-cinq vous en ignoriez encore tout — à moins que vous ne l'ayez déjà su ? Serait-ce la raison pour laquelle vous étiez si pressé de rentrer chez vous ou d'aller Dieu sait où ? »

Howard tenta de comprendre ce que le policier entendait par là. Son cerveau refusait de fonctionner. Il avait tiré sur George à dix-sept heures quarante-trois, à quelque chose près. L'homme se moquait-il toujours de lui ? Howard l'examina. Il avait la quarantaine et, dans son visage potelé et vif, les yeux étaient méprisants.

« Il brûlait des vêtements dans la cheminée quand nous sommes entrés, capitaine, dit le plus petit policier, qui se tenait près de Howard.

— Tiens ? Et *pourquoi* cela, monsieur Quinn ? »

Il le savait fort bien, Howard en était sûr. Il savait ce qu'il avait brûlé et pourquoi, comme les deux autres.

« Vous brûliez les vêtements de qui, monsieur Quinn ? »

Howard continua de se taire. Ces questions ironiques le mettaient en fureur tout en lui faisant honte.

« Monsieur Quinn, reprit le capitaine d'une voix forte, à dix-sept heures quarante-cinq, ce soir, vous avez renversé un homme avec votre voiture au coin de la 18ᵉ Avenue et de la 68ᵉ Rue. Puis vous avez pris la fuite. Est-ce exact ? »

Howard leva les yeux vers lui sans comprendre.

« *Vous vous êtes bien rendu compte que vous le renversiez, non ?* », poursuivit son interlocuteur d'un ton encore plus vif.

Ainsi, Howard était ici pour quelque chose d'autre : un délit de fuite !

« Je... je ne..., commença-t-il.

— Votre victime n'est pas morte, si cela peut vous rendre plus bavard. Mais vous ne l'avez pas fait exprès ! Elle est à l'hôpital avec une jambe cassée — un vieillard qui ne peut se le payer... » Le capitaine se pencha vers lui, l'air menaçant. « Je crois qu'on devrait vous emmener le voir. Ça vous ferait du bien. Vous avez commis l'un des pires crimes : le délit de fuite. Si une femme, témoin de la scène, n'avait pas eu la présence d'esprit de relever votre numéro d'immatriculation, nous ne vous aurions jamais pris. »

Soudain, Howard comprit. Le témoin s'était trompé dans les chiffres — d'un seul, peut-être — mais cela lui donnait un alibi. Il devait saisir l'occasion au vol; sinon il était perdu. Il y avait trop de choses contre lui, même si Mary n'avait pas parlé — le fait d'avoir quitté le magasin plus tôt que d'habitude, la police venant chez lui, par une noire coïncidence, au moment où il finissait de brûler le manteau. Howard leva les yeux vers le visage furibond de l'officier de police.

« Je veux bien lui rendre visite à l'hôpital, dit-il d'un air contrit.

— Conduisez-le », ordonna le capitaine à ses deux hommes. Puis il ajouta : « A votre retour, les gars de la Criminelle seront là. A propos, monsieur Quinn, vous devrez payer une caution de cinq mille dollars pour sortir, sinon vous passerez la nuit ici. Voulez-vous essayer de vous la procurer ce soir même ? »

Son employeur, M. Luther, s'en chargerait, pensa Howard.

« Puis-je téléphoner ? »

134

Le capitaine fit un geste en direction d'un appareil posé sur une table.

Howard trouva le numéro de M. Luther dans le Bottin. Ce fut sa femme qui répondit. Howard la connaissait, mais il demanda à parler à son mari sans échanger les politesses d'usage.

« Monsieur Luther, dit-il, je dois vous demander un service. J'ai eu un pénible accident. J'ai besoin de cinq mille dollars pour ma caution... Non, je ne suis pas blessé, mais... pourriez-vous me faire porter un chèque ?

— Je l'apporte moi-même. Ne vous inquiétez pas. Je vais prévenir Lyles, notre avocat d'affaires. N'acceptez aucun des avocats qu'ils vous proposeront. »

Howard le remercia. La loyauté de M. Luther le gênait. Il demanda l'adresse du commissariat et la donna à son employeur. Puis il raccrocha et sortit en compagnie des deux policiers.

Ils montèrent en voiture et se rendirent à l'hôpital. L'homme s'appelait Louis Rosasco. Il était seul dans une chambre, appuyé sur ses oreillers, sa jambe plâtrée suspendue au plafond par un système de poulies. Dans son visage au teint mat, long et couturé, ses yeux enfoncés dans les orbites avaient l'air très las. Ses cheveux étaient gris. Il avait entre soixante-cinq et soixante-dix ans.

« Monsieur Rosasco, dit le plus grand des deux policiers, voici M. Quinn, l'homme qui vous a renversé. »

M. Rosasco fit un signe de tête machinal, sans manifester d'intérêt, mais en gardant les yeux fixés sur Howard.

« Je suis terriblement désolé, dit maladroitement Howard. Ne vous inquiétez pas, je paierai toutes vos factures. »

L'assurance s'occuperait de la note de l'hôpital.

Il y aurait aussi l'amende, plus tard — au moins un millier de dollars — pour laquelle il emprunterait.

L'homme sur le lit ne parlait toujours pas. Il semblait abruti par les calmants. Le policier qui les avait présentés semblait mécontent de voir qu'ils n'avaient rien à se dire. « Vous le reconnaissez, monsieur Rosasco? » interrogea-t-il.

M. Rosasco secoua la tête.

« Je n'ai pas vu le conducteur. Tout ce que j'ai vu, c'est une grosse voiture noire qui m'a foncé dessus, dit-il lentement. Elle m'a pris sur le côté de la jambe... »

Howard serra les dents. Sa voiture était verte. D'un vert clair. Et elle n'était pas particulièrement grosse.

« Une voiture verte, monsieur Rosasco », rectifia l'autre policier avec un sourire. Il vérifiait sur une fiche jaune qu'il avait sortie de sa poche. « Une Pontiac verte. Vous vous trompez, monsieur Rosasco.

— Non, elle était noire, assura M. Rosasco.

— Pas du tout. Votre voiture est bien verte, monsieur Quinn? »

Howard acquiesça avec raideur.

« A cette heure-là, il commençait à faire nuit, monsieur Rosasco, reprit le policier. Vous n'y voyiez sans doute pas très bien. »

En retenant son souffle, Howard observait le vieil homme. M. Rosasco contempla un moment le policier, les sourcils froncés, visiblement étonné, puis sa tête retomba sur l'oreiller. Il abandonnait. Howard se décontracta un peu.

« Essayez de dormir, maintenant, dit l'autre policier. Ne vous faites pas de soucis. Nous nous occupons de tout. »

En sortant de la pièce, Howard emportait

l'image du vieil homme dont le profil las reposait sur l'oreiller, les yeux clos. Son alibi...

Quand ils regagnèrent le commissariat, M. Luther était déjà arrivé. Il y avait aussi deux hommes en civil : Howard supposa que c'était les gens de la Criminelle. M. Luther se dirigea vers Howard, son visage rond et rose exprimant le trouble.

« Que se passe-t-il ? interrogea-t-il. Avez-vous réellement renversé quelqu'un et pris la fuite ? »

Howard hocha la tête d'un air honteux.

« Je n'étais pas sûr de l'avoir touché. J'aurais dû m'arrêter... »

M. Luther le regarda d'un œil plein de reproche, mais Howard savait qu'il tiendrait parole.

« J'ai remis le chèque pour la caution, dit-il en effet.

— Merci infiniment. »

L'un des deux hommes en civil s'avança vers Howard. Il était mince et ses yeux bleus avaient un regard aigu dans son visage étroit.

« J'ai quelques questions à vous poser, monsieur Quinn. Vous connaissez Mary Purvis et George Frizell ?

— Oui.

— Puis-je vous demander où vous vous trouviez ce soir à dix-sept heures quarante ?

— Je... j'étais en voiture. Je me rendais du magasin où je travaille, au coin de la 53^c Rue et de la 7^c Avenue, à mon appartement, dans la 71^c Rue.

— Et vous avez renversé un homme à dix-sept heures quarante-cinq ?

— Oui. »

Le policier acquiesça de la tête.

« Vous savez que l'on a abattu George Frizell,

137

ce soir, à dix-sept heures quarante-deux très exactement ? »

L'homme le soupçonnait, pensa Howard. Qu'est-ce que Mary avait raconté ? Si seulement il le savait... Mais le capitaine n'avait pas dit précisément que George Frizell avait été abattu. Howard fronça les sourcils.

« Non, répondit-il.

— C'est pourtant ce qui est arrivé. Nous avons parlé à votre petite amie. Elle dit que c'est vous. »

Le cœur de Howard s'arrêta de battre. Il plongea son regard dans les yeux interrogateurs du policier.

« Ce n'est pas vrai. »

L'homme haussa les épaules.

« Elle est franchement hystérique, d'accord, mais elle est aussi franchement affirmative.

— C'est faux ! J'ai quitté le magasin... Je dois repasser au magasin pour lequel je travaille chaque jour à dix-sept heures. J'ai pris ma voiture... »

Sa voix se brisa. C'était Mary qui l'enfonçait. Mary.

« Vous êtes bien le petit ami de Mary Purvis ?

— Oui... Je ne peux... Elle doit être...

— Aviez-vous envie d'écarter Frizell de votre chemin ?

— Je ne l'ai pas tué. Je n'ai rien à voir dans tout cela. J'ignorais même qu'il était mort !

— Frizell voyait souvent Mary, n'est-ce pas ? C'est ce que m'ont raconté les deux logeuses. Avez-vous jamais pensé qu'ils pouvaient être amoureux l'un de l'autre ?

— Non. Evidemment non.

— Vous n'étiez pas jaloux de Frizell ?

— Bien sûr que non. »

Le policier gardait les sourcils levés. Son visage était un véritable point d'interrogation vivant.

138

« Vraiment ? interrogea-t-il sarcastique.

— Ecoutez, Shaw, lança le capitaine en sortant de derrière son bureau. Nous savons où se trouvait Quinn à dix-sept heures quarante-cinq. Il connaît peut-être le nom du coupable, mais ce n'est pas lui.

— Savez-vous qui a fait le coup, monsieur Quinn ? demanda le policier.

— Non, je l'ignore.

— Le capitaine McCaffery m'a dit que vous brûliez des vêtements dans votre cheminée, ce soir. Avez-vous fait brûler un manteau ? »

Howard hocha la tête à plusieurs reprises, d'un air désespéré.

« J'ai brûlé un manteau et une veste. Ils étaient tout mités. Je ne voulais plus les garder dans mes placards. »

Le policier posa son pied sur une chaise et se pencha vers Howard.

« Vous avez choisi un moment bizarre pour brûler des vêtements, vous ne trouvez pas ? Juste après que vous ayez pensé avoir heurté et peut-être tué un homme ? A qui était ce manteau ? A l'assassin ? Et s'il avait eu un trou fait par la balle ?

— Non, dit Howard.

— Vous ne vous êtes pas mis d'accord avec quelqu'un pour tuer George Frizell ? Quelqu'un qui vous aurait apporté son manteau pour s'en débarrasser ?

— Non. » Howard regarda M. Luther, qui écoutait d'une oreille attentive, et se redressa.

« Vous avez pu tirer sur Frizell, bondir dans votre voiture et filer chez vous en renversant quelqu'un au passage.

— Shaw, c'est impossible, intervint McCaffery. Nous avons l'heure exacte de l'accident. Quelle que soit votre vitesse de pointe, vous ne pouvez pas aller du coin de la 34e et de la 7e au coin de la 68e et de la 8e en trois minutes ! Soyez raisonnable ! »

Le policier gardait les yeux fixés sur Howard.

« Travaillez-vous pour lui ? interrogea-t-il en désignant du menton M. Luther.

— Oui.

— Que faites-vous ?

— Je suis représentant sur le secteur de Long Island pour la société William Luther. Je vends des articles de sport aux écoles et aux détaillants. Je passe au magasin à neuf heures et le soir à dix-sept heures. »

Il débitait son texte comme un perroquet. Ses jambes se dérobaient sous lui. Mais son alibi était en béton. Il tenait bon.

« Bien, fit l'homme en retirant son pied de la chaise et en se tournant vers McCaffery. Nous continuons l'enquête. Nous tiendrons compte de tout ce qui peut intervenir de neuf. »

Il adressa à Howard un sourire glacial pour lui montrer qu'il en avait terminé avec lui, puis ajouta :

« A propos, avez-vous déjà vu ceci ? »

Il tira de sa poche le petit revolver acheté à Bennington.

Howard plissa les yeux.

« Non, jamais », répondit-il.

Shaw empocha le revolver.

« Nous aurons peut-être besoin de vous parler encore », dit-il en esquissant de nouveau un faible sourire.

Howard sentit la main de M. Luther se poser sur son bras et les deux hommes sortirent.

« Qui est George Frizell ? » demanda M. Luther une fois dans la rue.

Howard s'humecta les lèvres. Il se sentait dans un état bizarre, comme s'il avait reçu un coup sur la tête et que son cerveau avait cessé de fonctionner.

« Un ami d'une amie.

— Et cette jeune fille... Mary Purvis, n'est-ce pas ? Vous êtes amoureux d'elle ? »

Howard ne répondit pas. Il gardait les yeux fixés au sol tout en marchant.

« C'est elle qui vous accuse ?

— Oui. »

La pression de M. Luther sur son bras se resserra.

« Je crois qu'un verre vous ferait du bien. Venez. »

Howard s'aperçut qu'ils étaient en face d'un bar. Il ouvrit la porte.

« Elle doit être bouleversée, vous savez, reprit M. Luther. Les femmes sont comme ça. C'est un de ses amis qui a été tué, n'est-ce pas ? »

Maintenant, la langue de Howard était paralysée à son tour, tandis que, dans son cerveau, les idées se bousculaient. Il se rendait compte qu'après cela, il ne pourrait plus continuer à travailler pour M. Luther, qu'il ne pourrait tromper un homme comme M. Luther... Son employeur continuait de lui parler. Howard prit son verre et en but la moitié d'un trait. Maître Lyles, expliquait M. Luther, le tirerait facilement de cette affaire.

« Vous devrez faire plus attention, Howard. Vous êtes impulsif, ça, je le sais depuis toujours. Cela a ses bons côtés et aussi ses mauvais. Mais ce soir... j'ai l'impression que vous saviez que vous aviez pu heurter cet homme.

— Excusez-moi, je dois donner un coup de fil, dit Howard. J'en ai pour un instant. »

Il se hâta vers la cabine téléphonique, au fond du bar. Il fallait qu'il l'entende de la bouche de Mary. Il fallait qu'elle soit chez elle. Sinon, il tomberait raide mort, là, dans cette cabine. Il exploserait littéralement.

« Allô ? »

C'était la voix de Mary, morne et sans vie.

« Mary, c'est moi. Tu n'as pas... Qu'as-tu raconté à la police ?

— Je leur ai dit, articula-t-elle lentement, que tu avais tué mon ami.

— Mary !

— Je te hais.

— Mary, tu ne le penses pas, n'est-ce pas ? »

Il criait. Mais elle le pensait et il le savait.

« Je l'aimais. J'avais besoin de lui. Et tu l'as tué. Je te hais. »

Il serra les dents, tandis que les mots pénétraient son esprit. La police ne le prendrait pas. Mary ne pourrait rien y faire. Il raccrocha.

Au bar, il retrouva les paroles de M. Luther qui coulaient calmement, comme si leur flot ne s'était pas arrêté pendant qu'il téléphonait.

« Il faut payer, un point, c'est tout, disait M. Luther. Il faut payer le prix de ses fautes et ne pas recommencer... Vous savez que j'ai de l'estime pour vous, Howard. Vous vous en sortirez très bien. »

Il fit une pause, puis : « Vous venez de parler à Mlle Purvis ?

— Je n'ai pu la joindre. »

Dix minutes plus tard, il était dans un taxi, seul. Il avait demandé au chauffeur de le laisser au coin de la 37ᵉ Rue et de la 7ᵉ Avenue, afin de pouvoir marcher comme si de rien n'était et de ne pas s'occuper de sa voiture au cas où la police le suivrait.

Arrivé à destination, il paya et regarda autour de lui. Nulle voiture ne semblait le filer. Il se dirigea vers la 35e Rue. Les deux bourbons secs qu'il avait bus en compagnie de M. Luther l'avaient remis d'aplomb. Il marchait vite, la tête haute; pourtant, curieusement, il se sentait complètement perdu et c'était terrifiant. Sa Pontiac verte était à l'endroit où il l'avait garée. Il prit ses clefs et ouvrit la portière.

Il avait une contravention. Il s'en aperçut dès qu'il se glissa derrière le volant. Il baissa sa vitre et l'ôta de dessous l'essuie-glace. Une contravention pour stationnement abusif... Une bricole, une affaire de si peu d'importance qu'il en sourit. Tout en conduisant, il s'aperçut que la police avait fait une gaffe en ne lui confisquant pas son permis quand il était au commissariat. Cela l'amusa. La contravention était posée sur le siège à ses côtés. Elle avait un air extraordinairement anodin, extraordinairement inoffensif par rapport à ce qu'il venait de subir...

Soudain, il passa du sourire aux larmes. Ses yeux se mouillèrent. La blessure ouverte par les paroles de Mary était encore indolore, il le savait. Et avant qu'elle ne le fasse souffrir, il devait rassembler ses forces. Si Mary persistait dans ses accusations, il demanderait qu'elle soit examinée par un psychiatre. Elle n'était pas totalement saine d'esprit, il ne l'avait jamais ignoré. Il avait tenté de la conduire chez un psychiatre à propos de ses rapports avec George, mais elle n'avait jamais accepté. Ses accusations ne tiendraient pas, parce qu'il avait un alibi. Un alibi parfait. Mais si elle insistait *vraiment*...

Mary l'avait encouragé à tuer George — il en

était certain, à présent. Elle avait fait germer l'idée dans son esprit au moyen de mille insinuations. *Il n'y a aucune issue à cette situation, Howard, à moins qu'il ne meure*. Alors il l'avait tué — pour *elle* — et Mary s'était retournée contre lui. Mais la police ne le prendrait pas.

Il y avait une place libre au bord du trottoir tout près de chez lui et Howard y gara sa voiture.

Dans l'appartement flottait encore l'odeur du tissu brûlé. Elle lui parut incongrue : tant de temps s'était écoulé depuis, lui semblait-il. Il prit de nouveau la contravention et l'examina à la lumière.

Sous ses yeux, son alibi s'effondra.

La contravention avait été mise à dix-sept heures quarante-cinq très exactement.

UNE LOGIQUE FOLLE

Titre original de la nouvelle
WHO IS CRAZY

Sa journée de travail terminée, Aaron Wechsler rentra chez lui à dix-huit heures dix. Il avait passé quelques minutes de plus qu'à son habitude à aider au tri du courrier après la fermeture du bureau de poste, à dix-sept heures, afin de donner l'impression qu'aujourd'hui était un jour comme les autres, qu'il ne se sentait pas mal à l'aise ni n'était pressé de sortir, même si le corps ensanglanté de Roger Hoolihan gisait au fond d'un placard où l'on gardait les sacs postaux en surplus. Qui le découvrirait, se demandait Aaron. Mac, le receveur ? Bobbie, son fils ? L'un des facteurs ? Aaron s'en moquait.

C'était un homme de taille moyenne qui commençait à prendre du ventre et dont les cheveux noirs et raides grisonnaient sur les tempes. Il avait cinquante-cinq ans. Ses lunettes à la monture sombre et aux verres épais donnaient à son regard un air flou et fuyant. En fait, son regard était réellement fuyant. Aaron avait de plus en plus horreur de regarder les gens dans les yeux. Nerveux, sans cesse agité, il détestait son travail, mais il était décidé à s'y accrocher — dans ce bureau de poste ou dans un autre — jusqu'à la retraite, juste récompense d'une vie de travail.

Aaron alla à la cuisine et se lava soigneusement les mains avec le détergent jaune qu'il utilisait pour la vaisselle. Puis il s'assit à la table où il prenait ses repas et qui lui servait également de bureau, ouvrit le cahier dans lequel il tenait son journal et écrivit :

« 28 septembre

« Aujourd'hui, j'ai tué Roger Hoolihan. Cela s'est passé peu après midi, ainsi que je l'avais prévu. Les autres étaient allés déjeuner. Quant à moi, j'étais censé sortir à midi tandis que Roger gardait le bureau avant de partir à son tour à une heure. Vers midi vingt, Roger jeta un œil par-dessus son épaule et me dit avec son ricanement habituel : « Alors, tu ne vas pas déjeuner ? » Il se tenait près des guichets et parcourait les livres de comptes. J'ai pris l'agrafeuse et l'ai frappé à l'arrière de la tête. Je pense lui avoir fracturé le crâne dès le premier coup, mais j'ai recommencé plusieurs fois. Puis je l'ai traîné jusqu'au placard, au fond du bureau, et je l'ai déposé sur les sacs postaux. Je ne suis pas rentré déjeuner à la maison. Simplement, je suis sorti avant une heure et suis revenu en même temps que les autres, à une heure. Quand — vers deux heures — Mac m'a demandé où était Roger, j'ai répondu : « Je ne l'ai pas vu depuis que je suis sorti, un peu après midi. »

« Mac a eu l'air surpris, mais il n'a rien dit. Je suppose qu'il téléphonera chez Roger demain matin, quand il ne le verra pas au bureau, et qu'on va commencer à le rechercher dès ce soir, quand il ne rentrera pas chez lui. Mais il peut se passer un ou deux jours avant qu'on ne le retrouve, car l'on ouvre rarement le placard.

« Roger Hoolihan. Numéro un. »

148

Aaron posa son stylo au creux du cahier, se frotta les mains et lut ce qu'il venait d'écrire. Il avait une petite écriture nette et utilisait de l'encre noire. Mac serait le suivant. Effacer cette expression d'autosatisfaction, ces hochements de tête condescendants, ces yeux qui se détournaient d'un air vague, comme si les êtres ou les objets que Mac regardait étaient minables parmi les minables, indignes, même, d'un mot de mépris de la bouche du grand Edward MacAllister, receveur. A ceci près que n'importe quelle ânerie accomplie par Bobbie était bien, parce que Bobbie était son fils.

« Dis, papa, où sont les timbres à deux cinquante ? Dis, papa, je peux filer maintenant ? J'ai rendez-vous avec Helen. »

Bobbie serait peut-être le numéro trois. Attention à toi, Bobbie.

Aaron se dirigea de nouveau vers l'évier, se pencha et, de derrière un rideau à carreaux bleus et blancs placé en dessous, retira une bouteille de bourbon posée parmi les liquides ammoniaqués et autres produits nettoyants. Il se versa une généreuse rasade, y ajouta quelques glaçons et sirota le tout d'un air appréciateur. Puis il ouvrit une boîte de corned-beef haché et le versa dans une poêle, en y ajoutant un œuf à cheval. Très brièvement, la pensée qu'il aurait pu s'offrir un repas spécial — steak, côtelettes d'agneau ou au moins côtes de porc — lui traversa l'esprit. Il l'oublia aussitôt et se trouva parfaitement satisfait de son humble repas. Devant son faible pour ce genre de nourriture, sa femme se moquait de lui, affirmant qu'il avait les goûts d'un forçat. L'image de Vera en train de sourire tout en disant cela se mêla pendant quelques instants dans son souvenir à l'image de la même Vera ricanant, cette fois, en prononçant des paroles identiques. Elle avait fini par le plaquer et elle avait certainement ricané, alors. Bon débarras, pensa Aaron. Il n'était pas allé à sa ruine, il n'avait pas détruit sa santé ni perdu son travail, ou provoqué toute autre catastrophe qu'elle lui avait prédite. Il avait quitté sa place à la poste de East Orange pour aller vivre à Copperville, dans le New Jersey, où il n'avait eu aucune difficulté à retrouver un poste identique.

« Qu'elle aille au diable », murmura Aaron.

Il attira à lui un journal qui se trouvait sur la table. Ses yeux parcoururent les lignes sans les lire. Il mangeait à un rythme régulier, ni rapide ni lent. Il se leva pour se servir une deuxième portion et finir le plat. Que ses enfants aussi aillent au diable... Billy avait maintenant vingt-quatre, non, vingt-sept ans; Edith en avait vingt-trois et s'était fait faire trois gosses par ce minus qu'elle avait épousé. Oui, il y avait eu une époque où Aaron formait de grands projets pour ses enfants; Billy avait étudié et était devenu expert-comptable, mais Edith était tombée amoureuse au début de ses études et s'était mariée à un ahuri sans bagage et sans argent. Aaron, fou de rage, avait tenté de faire annuler le mariage, mais hélas! Edith était déjà enceinte et c'était hors de question. Sa colère avait été immense — n'était-elle pas justifiée, d'ailleurs, à l'époque et maintenant, puisque le couple et ses trois gosses vivaient dans un taudis de Philadelphie? — et Billy et Vera avaient pris la défense d'Edith. Pour Aaron, ce fut comme si son univers avait soudain perdu la boussole et renversé l'ordre des choses. Il s'était trouvé seul à défendre ce qui est sain, la bonne éducation, la belle vie et sa propre famille s'était changée en traître, les avait trahis, lui et tout ce pour quoi il s'était battu depuis la naissance des enfants et même avant. Un jour, Aaron était entré dans une telle fureur qu'il avait dévasté la maison. Il avait arraché les tableaux des murs et les avait piétinés, il avait décroché les rideaux et brisé chaque assiette sur le sol. Alors Vera avait éclaté en sanglots et dit qu'elle le quittait. Et elle l'avait fait. Et il l'avait laissée faire.

« Laissée faire », murmura Aaron tout en buvant son café instantané. Laissée faire! Laissée le quitter, avec tous ses discours sur les psychiatres qu'il devrait voir, et elle était allée jusqu'à y mêler le prédicateur — tchch! fit Aaron, méprisant. Un instant, son sang se mit à bouillir, puis il se calma. A présent, il se sentait mieux que jamais. Les mérites de l'indépendance valaient d'être longuement vantés. En outre, il économisait maintenant plus d'argent qu'il n'en avait mis de côté durant son mariage. L'année dernière, il avait pensé un moment faire une croisière aux Antilles au cours de l'été, mais il l'avait repoussée à plus tard et cette année également. Eh bien, à la place, il irait un été en Europe. C'était plus intéressant. Les Antilles étaient simplement moins lointaines et moins chères. Oui, sa vie était agréable, actuellement, n'eût été cette poignée d'abominables avec lesquels il devait travailler. C'est eux qui lui rendaient son travail détestable et détestables aussi les tampons de caoutchouc, les balances et tous les appareils mécaniques de l'endroit. Il se trouvait à Copperville depuis trois ans maintenant. Il y avait des périodes où cela ne paraissait pas très long, d'autres si. Ce soir, cela n'avait pas semblé si long que ça.

Roger Hoolihan avait un fils à l'université et un dans le secondaire. Plus une épouse. Aaron haussa les épaules. Ce n'était pas le moment de s'apitoyer.

Il lava sa vaisselle, fit tremper dans une bassine deux chemises et des pyjamas, puis alla se coucher de bonne heure. Aaron aimait dormir. Il dormait dix heures par nuit.

Le lendemain matin, le soleil brillait. D'après le thermomètre accroché à la porte d'entrée, Aaron vit qu'il faisait un peu plus de dix-sept degrés, une température idéale. La maison d'Aaron était située derrière celle, plus grande, de son propriétaire, au fond de l'allée qui menait au garage où ce dernier rangeait sa Buick bleu clair. Une mince pelouse séparait les deux maisons, traversée par le petit sentier qu'y avaient tracé les pieds de Aaron. Aaron avait quelques minutes de marche jusqu'à la poste. Il passait par des rues bordées de maisons basses, sur des trottoirs plantés d'aulnes et d'érables.

Mac se trouvait déjà dans le bureau de poste. C'était toujours le premier à arriver, quelques minutes avant huit heures.

« 'Jour, Aaron », dit-il, sans se donner la peine de lever les yeux sur lui.

« 'Jour. »

Aaron accrocha son veston à une patère, sur le mur du fond.

Mac déposait avec lenteur des feuilles de timbres dans les vastes tiroirs situés sous les guichets. Cela lui prenait toujours beaucoup de temps, car il les détaillait d'abord longuement, surtout si c'était de nouveaux timbres. Mais il aimait aussi, apparemment, contempler les perforations des timbres ordinaires. Le gouvernement, pensa Aaron, devrait être au courant du temps que perdait le receveur, principal employé du bureau de poste de Copperville, New Jessey, à effectuer une multitude de tâches sans importance, à la portée de n'importe quel subalterne.

Derrière Mac, sur un large bureau plat, était posée une carte où l'on avait imprimé le mot « tension » de telle sorte que le regard vacillait et devenait douloureux lorsqu'on la contemplait. Cette torture était encore accentuée par les bandes grises qui soulignaient les lettres noires, alternativement par-dessus et par-dessous, et les rendaient floues. Aaron retourna la carte, de façon à ne pas l'avoir sous les yeux pendant qu'il trierait le courrier du matin. Le bureau était déjà surchauffé, mais, ce matin, Aaron avait peur d'aller modifier la position du thermostat près des lavabos. Mac aimait travailler en bras de chemise dans une bonne chaleur ambiante; les autres n'avaient qu'à transpirer le restant de la journée. Aaron le regarda qui refermait un tiroir, puis s'avançait jusqu'au juke-box et le mettait en marche. *On the sunny side of the street,* pris au beau milieu du morceau, résonna dans la pièce.

Il attend que je sois arrivé pour le faire jouer, pensa Aaron, *juste parce qu'il sait que je n'aime pas ça.*

« Aaron, il y a du courrier à trier, dit Mac en désignant les paquets de lettres posés sur le bureau où Aaron avait retourné la carte.

— Je m'y mets », répondit Aaron sans enthousiasme.

Il prit le premier tas et le défit. D'un seul regard, il put voir qu'il y avait environ huit cents lettres à trier pour les facteurs qui commençaient leur tournée entre neuf heures et neuf heures trente. Il les rangea tout d'abord en différentes piles, selon les zones qu'il définissait lui-même, car Copperville était trop petit pour avoir plusieurs codes postaux. Plop, plop, plop. Puis il plaça quelques lettres, destinées à des boîtes postales, dans des niches numérotées situées au-dessus du bureau. Des factures, des catalogues de pépiniéristes, des catalogues de vente par correspondance, encore et toujours des paperasses.

Roger Hoolihan entra. Aaron lui jeta à peine un coup d'œil et se replongea dans son travail, les sourcils froncés. Il entendit Mac et Roger échanger des « bonjour ».

« Ça va mieux ? demanda Mac.

— Ouais, merci. Un peu de bicarbonate et une bonne sieste ont résolu le problème », répondit Roger.

Mac, accoudé à un guichet, ne faisait rien.

« Qu'est-ce qui t'a rendu malade ? gloussa-t-il. Des escalopes à la crème, ou quoi ?

— Mais non. Un simple ragoût de bœuf. Sans rien et... »

Aaron, ennuyé, aurait aimé ne pas suivre la conversation. Il cessa d'écouter un moment, mais il entendit alors la musique. Un baryton chantait laborieusement un air langoureux sur un fond de violons. La veille, quand Roger était rentré de déjeuner à quatorze heures, il avait dit à Mac, avec une expression douloureuse :

« Seigneur, je suis plié en deux. C'est quelque chose que j'ai dû manger. Je ferais mieux de prendre mon après-midi. »

Non, Aaron ne voulait plus penser à tout cela. Il concentra son attention sur les noms et adresses inscrites sur les enveloppes qu'il triait.

Mme Lily Foster. Lily Foster. Encore Lily Foster. Cette modiste, divorcée, recevait plus de courrier que n'importe qui.

« Dis donc, Aaron, dit Roger quand il se fut débarrassé de son veston, si l'on graissait le monstre, ce matin ? »

Il désigna de la tête la machine noire, haute de plus d'un mètre, qui était placée au milieu de la pièce.

Aaron parvint à s'arracher un léger sourire d'acquiescement en réponse à l'humour de Roger. *Sois plus poli que lui,* se dit-il, *car tu vaux mieux que lui.* Il ne regarda pas le monstre. Cette machine lui faisait horreur. A une époque, il avait su à quoi elle servait, mais cela avait fini par s'effacer de son esprit. Elle ressemblait à une guillotine qu'un géant aurait un jour violemment comprimée. Etait-ce une sorte de balance, un système pour réduire les enveloppes à la taille d'un timbre-poste ou un appareil à trancher les membres ou les têtes ? Quelque temps auparavant — un mois, six mois ? — Mac lui avait demandé de s'en servir. « *Je ne veux pas avoir affaire à elle !* » avait-il hurlé en guise de réponse. Aaron eut un petit sourire satisfait. Il ne voulait pas savoir et il ne saurait pas à quoi servait la machine noire. On ne pourrait le mettre à la porte pour cela. D'ailleurs, on ne pouvait pas le renvoyer. Il était fonctionnaire. Titulaire.

Mais la musique au long des journées le rendait fou. Cela pouvait le pousser à démissionner. Une musique de mort... Aaron se souvint de s'être rendu un jour à un rendez-vous qu'il redoutait — chez le médecin ou le dentiste — et une musique semblable coulait du plafond de l'ascenseur, sirupeux accords de violons destinés à adoucir les mœurs. Oui, peut-être, mais elle ne l'avait pas plus apaisé que s'il avait été un condamné en marche vers la chambre à gaz, et le premier imbécile venu savait qu'en fait elle était destinée à camoufler en douceur quelque chose, ou à couvrir une réalité si atroce que l'esprit humain ne pouvait l'affronter.

Les facteurs revenaient de leur tournée. Aaron grommela une vague réponse à leur salut. Bobbie vint l'aider à trier le courrier. Il était neuf heures et quart. Bobbie travaillait vite. Aaron accéléra son propre rythme, car il ne voulait pas se faire déborder par des types dans son genre. Bobbie était rondouillard et boutonneux comme un adolescent. Il serait lourd à traîner, pensa Aaron.

C'est dans l'après-midi qu'il élabora le plan de sa disparition. Cette pensée l'absorba tellement qu'il resta quelques minutes sans rien faire, face à la file des clients qui attendaient au guichet.

« Magne-toi le train, Aaron », vint lui lancer Roger.

Aaron le regarda. *Tu es mort, Roger,* songea-t-il. *Tes remarques ne m'atteignent pas. Tu es mort et tu ne sembles pas le savoir.* Après cela, soulagé, il se remit presque joyeusement à la tâche.

Chaque soir, dans son journal, Aaron préparait le meurtre de Bobbie MacAllister. Il y eut pourtant un changement dans ses plans. Ou plutôt c'est Mac, le père de Bobbie, qui vint mieux s'insérer dans les projets d'Aaron. Ceux-ci comportaient l'utilisation d'un couteau. Or Mac était plus mince que Bobbie. Aaron aurait à frapper moins fort. Un beau matin, il emporta son couteau à découper à la poste et en frappa Mac vers dix-sept heures, quand tous les deux furent seuls. Mac levait un bras pour saisir son veston accroché à une patère. Il eut à peine le temps de se retourner, une expression de stupéfaction sur le visage, avant de s'effondrer lentement. Aaron enjamba le corps et sortit.

Il relata l'événement en détail dans une page entière de son journal, qu'il couvrit d'une écriture serrée.

Le lendemain, il ne parla ni à Mac ni à Roger. Ils étaient morts. Bien sûr, il dut leur adresser un ou deux signes de tête, non pour les saluer, mais en réponse à une question. Ce n'était toutefois pas une véritable forme de communication. Dix jours environ passèrent. Les regards curieux que Mac, Roger et Bobbie lui lançaient, ainsi que d'ailleurs certains des facteurs, ne l'inquiétaient pas le moins du monde. On ne pouvait reprocher à un homme son silence, non ?

« C'est étrange, écrivit-il dans son journal, ces morts qui se promènent dans le bureau de poste. C'est étrange de penser que bientôt je serai le seul à y être vivant. Un jour, après avoir éteint cette horrible musique, je sortirai et fermerai la porte sur le vide. L'unique survivant. Bobbie sera le prochain. Ensuite viendra le tour des facteurs. Je commencerai peut-être par Vincent, parce que je suis fatigué de son odeur de chewing-gum et des bourrades qu'il m'envoie chaque matin sur l'épaule si je m'approche de lui. »

Tous les soirs, Aaron remplissait son journal et, quand il rentrait déjeuner, il écrivait au moins une demi-page. De temps à autre, il sortait de son sujet et rédigeait quelques phrases sur l'incohérence des gouvernants.

« D'un côté, disait-il, le gouvernement nous vante les mérites de la paix et du désarmement, et de l'autre, il nous parle des millions de dollars qu'il devra débloquer pour les missiles nucléaires et autres fariboles. Tout cela est d'une logique folle ! »

Il tuerait Bobbie avec un marteau. Le premier coup l'assommerait, ce qui avait son importance compte tenu du gabarit de Bobbie, et les suivants l'achèveraient. Aaron scia quelques centimètres du manche de son marteau afin de pouvoir le transporter discrètement dans sa poche. C'est un vendredi, le dix novembre, qu'il l'emporta. Il suivrait Bobbie quand il sortirait, après son travail. Ce serait un peu avant dix-sept heures, car Bobbie avait rendez-vous tous les vendredis avec Helen.

Bobbie ne quitta pas Aaron du regard de toute la journée. Ses sourcils noirs exprimaient l'étonnement. Devant cette insistance, Aaron remit son projet à plus tard. A dix-sept heures, Bobbie était encore là. Au grand déplaisir de Aaron, il sortit en même temps que lui.

« Dis-moi, Aaron... »

Aaron l'interrompit.

« Je vais par là », dit-il.

Il n'habitait pas du côté de chez Mac et Bobbie.

« Je t'accompagne. Aaron, qu'est-ce qu'il se passe ? Depuis quelque temps... »

Bobbie suivait l'allure rapide de Aaron, qui émit un petit rire nerveux.

« Mais rien !

— Ecoute, je ne veux pas me mêler de tes affaires, mais si tu as une dent contre nous, il faut nous dire ce qui ne va pas, hein ? »

Le « nous » déplut à Aaron. Cela signifiait que toute la bande était, elle, contre lui.

« Je n'ai pas envie d'en parler », dit-il.

Bobbie eut l'air encore plus désorienté.

« Ah ! bon, il y a quelque chose, mais tu ne veux pas en parler ? C'est ça ?

— C'est ça. »

Le ton de Aaron était sans réplique.

« Bon. Euh... Voilà, papa et moi nous nous demandions si tu te joindrais à nous demain après-midi. C'est férié, tu sais ? Il paraît que le temps sera beau. On fera une petite sortie, on boira de la bière. Vince vient aussi. »

Aaron s'arrêta, se redressa.

« Impossible. Demain je dois mettre à jour un peu de correspondance. Désolé. »

Le visage de Bobbie refléta un mélange d'incrédulité et de surprise. Pensait-il qu'Aaron n'avait personne à qui écrire ?

« Merci tout de même, Bobbie, et bonsoir », dit Aaron, puis il s'éloigna d'un pas vif, avant que Bobbie ne puisse répondre.

Aaron passa une soirée épouvantable. Il avait l'impression d'avoir été en dessous de tout en ne tuant pas Bobbie dans le courant de la journée ou pendant que tous deux marchaient par les rues sombres. Il n'osait affronter l'idée d'ouvrir son journal et d'y inscrire qu'il n'avait pas tenu sa promesse. Sa colère à l'égard de lui-même était telle qu'elle l'empêcha de dormir. Ce fut un week-end gâché.

Le lundi, lorsque Roger l'appela pour l'aider à débarrasser une pile de colis, Aaron répondit d'une voix claire et ferme : « Tu es mort. »

Roger en resta bouche bée. Bobbie ouvrit des yeux ronds.

Quelques clients, qui avaient entendu, eurent l'air stupéfait. L'un d'eux sourit.

« Ça va lui clouer le bec », pensa Aaron, et de fait Roger semblait franchement effrayé.

« Qu'est-ce qui lui prend ? » demanda-t-il à Bobbie.

Bobbie s'approcha de Aaron.

« Que se passe-t-il ? interrogea-t-il. Tu ne te sens pas bien ?

— Je me sens en pleine forme », répondit Aaron d'un air de défi, tout en sachant parfaitement qu'il avait les yeux rougis par l'insomnie.

Cela ne les trompa pas. Ils le persuadèrent de rentrer chez lui, car il semblait épuisé. Il lutta quelques instants, puis abandonna. A quoi bon rester dans cet enfer surchauffé, saturé de musique ?

Chez lui, il inscrivit dans son journal que le fait d'avoir informé Roger Hoolihan de sa propre mort avait bouleversé le bureau de poste au grand complet. Mac lui avait même – suprême insulte – proposé de prendre quelques jours de repos. Lui donnerait-on des ordres ?

Toutefois, l'idée ne lui fut finalement pas si désagréable et il prit un congé. Le troisième jour, une lettre de Mac arriva. Lui-même et Roger, disait-elle, pensaient que Aaron devrait aller consulter un docteur. Sans doute avait-il trop travaillé et souffrait-il de surmenage : un médecin pourrait lui prescrire le remontant adéquat, ou un bref séjour à la campagne. Aaron croyait entendre Vera. Mac avait fait un effort pour être drôle, ce qui irritait encore plus Aaron, et il ajoutait qu'il l'aurait appelé s'il avait eu le téléphone et qu'il serait venu lui rendre visite s'il n'avait craint de le déranger. Pour Aaron, cette intrusion dans sa vie privée fut la goutte d'eau qui fit déborder le vase. Il donna son congé à son propriétaire et, le huit décembre, il était à Tippstone, en Pennsylvanie, à une centaine de kilomètres de Copperville. Il trouva à se loger moyennant un loyer modeste. Il était dans ses plans de ne rien faire pendant deux à trois semaines puis de trouver un travail similaire au bureau de poste local. En attendant, il vivrait jusqu'au début de la nouvelle année sur ses économies, sans que cela les ampute trop.

Quatre jours avant Noël, une bombe explosa à la poste de Copperville, tuant Mac, Roger et trois personnes qui attendaient à un guichet. Bobbie, qui se trouvait un peu à l'écart, fut blessé au bras droit et au visage. Le paquet dans lequel l'engin avait été placé était inidentifiable et même si Mac ou Roger avaient pu lire l'adresse de l'expéditeur, ils n'étaient plus là pour la donner. L'une des victimes était un adolescent, Kennie Hall, qui servait de coursier à une boutique de cadeaux. C'était certainement à lui qu'on avait remis le colis piégé. Quand la bombe explosa, Mac pesait justement les paquets apportés par le garçon.

La nouvelle causa quelque plaisir à Aaron. Il était heureux de savoir que Mac et Roger n'étaient plus. Il regrettait de ne pas avoir imaginé de s'être débarrassé d'eux par les mêmes moyens, tout en admettant qu'il lui aurait été fort difficile d'acquérir ou de mettre au point un engin capable d'exploser au moment voulu. Cela ne l'empêcha pourtant pas d'avoir l'esprit envahi de rêves de gloire et de succès. L'homme à la bombe avait tout mis au point et s'en était tiré. Aaron brûla son journal. La bombe avait fait mieux. Il découpa les articles de presse qui parlaient de l'affaire et les conserva dans son portefeuille.

Le 27 décembre, il se présenta au commissariat de police de Copperville et admit avoir envoyé la bombe au bureau de poste. Les deux agents auxquels il s'adressa étaient jeunes, blonds et bourrus. Ils avaient l'air légèrement dubitatif.

« Puis-je voir Bobbie MacAllister ? demanda Aaron.

— Il est encore à l'hôpital », lui répondit l'un des agents.

Aaron finit pourtant par les persuader de l'y accompagner.

Bobbie avait le bras entouré d'un épais pansement. Des entailles rouge sombre surmontaient son sourcil droit. Aaron lui raconta qu'il avait fabriqué la bombe chez lui, avait réglé l'horlogerie, était venu à Copperville et avait remis le paquet contenant l'engin au jeune garçon de courses.

Quand il eut achevé sa confession, qu'il se fut en quelque sorte justifié, il resta là, bien droit, pas le moins du monde honteux de son acte et pourtant prêt à recevoir son juste châtiment.

Le regard vide et sombre de Bobbie exprimait la crainte.

« Eh bien, Bobbie ? interrogea l'un des agents de police. Vous connaissez cet homme, n'est-ce pas ? Il a travaillé combien — trois ans ? — à la poste ?

— Oui, à peu près. Vous vous souvenez de l'y avoir vu ? »

Les agents acquiescèrent.

« Je suis sûr qu'il dit la vérité, continua Bobbie. Il avait l'habitude de déclarer à Roger : « Tu es mort » et même à papa, s'il... »

Les sanglots l'étouffèrent.

Aaron le contemplait avec patience.

« Il dit la vérité, répéta Bobbie. Il est complètement cinglé. »

Aaron fut emmené. Pour la police, l'affaire était résolue. Ni lui ni les victimes n'avaient assez d'importance pour qu'on le soumette à un examen psychiatrique afin de déterminer s'il mentait ou non. On le mit en prison, où il travailla à la buanderie. Un psychiatre, attaché à cette prison, organisait des séances de thérapie de groupe une fois par semaine. Quoique n'ayant aucune propension à parler, Aaron dut y assister. Son existence, il devait se l'avouer, était ennuyeuse, mais il avait l'impression d'avoir accompli ce à quoi peu d'hommes parviennent, l'anéantissement d'individus qu'ils méprisent. Il fut donc un prisonnier modèle.

LE PORTRAIT DE SA MÈRE

Titre original de la nouvelle
A GIRL LIKE PHYL

Jeff Cormack contemplait une des pistes de Kennedy Airport à travers les épaisses vitres fumées, tirant sur une cigarette dont il espérait que c'était la dernière avant de monter à bord. Par deux fois, déjà, on avait annoncé un retard. Les passagers s'étaient dispersés vers le hall de départ ou vers l'un des bars. C'était par une journée de novembre où le brouillard noyait tout.

Le bourdonnement reprenait. Une voix féminine annonçait que les passagers du vol TWA 807 pour Paris seraient très aimables de... Un grognement collectif, des murmures d'impatience la couvrirent.

« Elle a bien dit une demi-heure ? » s'informèrent alors plusieurs personnes. Oui, une demi-heure.

Jeff prit son attaché-case et se tournait vers la porte vitrée lorsque, à quelques mètres, il vit un visage qui l'arrêta net, immobile. *Phyl. Impossible.* Cette fille n'avait pas vingt ans. Mais quelle ressemblance ! Ces yeux noisette en amande, le rose frais des pommettes, l'abondante et soyeuse chevelure châtain foncé... Et les lèvres ! Elle était le portrait de Phyl à l'époque où Jeff l'avait rencontrée. Jeff s'arracha à sa contemplation.

Il était bouleversé. Ses mains tremblaient un peu.

Il ne devait pas regarder de nouveau cette fille, il ne devait pas essayer de la retrouver. Elle partait de toute évidence par le même vol. Il se dirigea lentement vers le bar, sans but précis, car il n'avait rien d'autre à faire qu'à tuer la demi-heure suivante. A ce rythme, il arriverait tard à Paris et il ne parviendrait pas à son hôtel avant minuit passé. Il essaierait pourtant de joindre Kyrogine par téléphone. Une nuit blanche se préparait. En effet, il ignorait — et les correspondants de sa firme n'avaient pu non plus le découvrir — quand exactement Kyrogine arriverait à Paris et où il descendrait. Ce ne serait sûrement pas à l'ambassade soviétique. Kyrogine était un ingénieur, un homme important, mais pas un délégué communiste. Sa mission était à demi secrète. Jeff le savait. Il cherchait à conclure un marché et Jeff tenait à être le premier à le rencontrer avant qu'une autre firme, américaine ou peut-être anglaise, ne mette la main sur lui. Jeff devait persuader Kyrogine que la sienne, l'Ander-Mack Company, était la meilleure possible dans le domaine du montage des équipements pétroliers.

De penser au travail qu'il aurait à accomplir dans les prochaines vingt-quatre heures donnait à Jeff une impression de solidité, la sensation de se trouver à sa place dans le temps et dans l'espace.

Le visage de la jeune fille le renvoyait dix-huit, non, vingt ans en arrière, l'année où il avait rencontré Phyl. Ce n'est pas qu'il eût depuis cessé d'avoir Phyl en mémoire. Ils avaient passé ensemble un peu plus d'un an, puis, quand ils s'étaient quittés, il avait beaucoup pensé à elle pendant deux ans — les Années Terribles, comme il disait. Ensuite était intervenue une sorte de trêve de trois ou quatre ans, durant laquelle il n'avait plus pensé à elle (du moins pas avec la même intensité) et avait travaillé encore plus dur pour l'oublier, sans compter qu'il avait rencontré quelqu'un et s'était marié. Maintenant, son fils Bernard avait quinze ans et se débrouillait assez mal dans ses études. Il n'avait aucune idée de ce qu'il souhaitait faire. Acteur, peut-être. Et Betty, sa femme, vivait à Manhattan. Il lui avait dit au revoir ce matin, en lui affirmant qu'il serait de retour dans trois jours, peut-être moins. Trois heures auparavant. Etait-ce possible ?

Jeff se retrouva en train de faire fondre son habituel morceau de sucre dans une tasse. Il ne se souvenait pas d'avoir commandé un café. Il avait une cuisse posée sur un tabouret et son manteau était plié sur son bras. Et son attaché-case noir était à ses pieds. Dedans se trouvait le contrat provisoire qu'il voulait faire signer, ou accepter, à Kyrogine. Il réussirait. Jeff avala le reste de son café et, se sentant plus sûr de lui, parcourut du regard les gens attablés au long de la paroi vitrée. Délibérément, il cherchait à présent la jeune fille qui ressemblait à Phyl.

Elle était assise à une table, en compagnie d'un jeune homme en blue-jean et veston de velours. D'après leur attitude, Jeff comprit qu'ils n'étaient pas ensemble. Elle était vêtue de façon stricte — comme l'avait été Phyl — d'un manteau bleu marine bien coupé et portait un foulard de prix autour du cou. Soudain, il vint à l'esprit de Jeff qu'elle pouvait être la fille de Phyl. Comment justifier, autrement, une telle ressemblance ? Phyl s'était mariée — dix-neuf ans auparavant, se souvint Jeff avec une douloureuse exactitude — à un certain Guy Fraser ou Frazier. Quelque chose dans ce genre. Jeff avait volontairement tenté d'oublier l'orthographe de son nom et il y était parvenu.

La jeune fille leva les yeux vers lui et il eut l'impression de recevoir un coup de revolver.

Il ferma les paupières. Son cœur reprit son rythme, il saisit lentement son portefeuille et laissa un dollar sur le comptoir. Cela avait été comme la première fois qu'il avait vu Phyl dans cette pièce pleine de gens. *Pire*, parce qu'il connaissait Phyl. Il savait aussi qu'il l'aimait toujours. Il s'en était accommodé depuis longtemps. Un homme ne se suicide pas, ne ruine pas sa carrière pour la simple raison qu'il aime une fille qu'il ne peut avoir. On peut essayer d'oublier, c'est-à-dire, en fait, de ne pas s'y arrêter trop souvent, de ne pas laisser cela devenir une obsession. Il avait décidé de vivre avec son amour pour Phyl. Mais il devait admettre qu'il ne se passait pas un mois, une semaine, même, maintenant, où il ne pensait à Phyl, où il n'imaginait être avec elle — au lit, hors du lit, avec elle, simplement. A présent, il était marié. Pris à des pièges concrets, tangibles, tel son fils Bernard, aussi réels que l'horrible formica marron du comptoir sous ses doigts ou que la balle qui pouvait pénétrer son front et le tuer.

Il espérait ne pas être assis près de la jeune fille dans l'avion. Si besoin était, il changerait de place. Mais enfin, avec deux cents passagers, c'était improbable.

Vingt minutes plus tard, Jeff était lancé à une vitesse croissante à travers la piste. Puis ce fut l'envol, cette délicieuse légèreté, tandis que l'air remplaçait la terre et que le rugissement du moteur faiblissait. A la gauche de Jeff, un hublot s'ouvrait sur une aile grise; à sa droite, se tenait une grosse dame et, plus loin, un homme qui était visiblement son mari. De l'endroit où il se trouvait, Jeff ne pouvait voir la jeune fille et il avait évité de la chercher lors de l'embarquement.

Jeff détacha sa ceinture, alluma une cigarette. Une hôtesse s'avançait lentement dans l'allée. Il lui commanda un whisky. Ensuite, on servit le déjeuner. Plus tard, le ciel s'obscurcit tandis que l'avion suivait la rotation de la terre. Un film apparut sur un écran. Jeff, voulant pouvoir somnoler s'il en avait envie, avait refusé les écouteurs. Il inclina le dossier de son siège, ferma les yeux et desserra sa cravate.

Kyrogine ne serait peut-être pas d'un commerce si difficile. Il avait manifesté un certain sens de l'humour au téléphone une semaine auparavant.

« Ce n'est pas de la vodka qu'il y a dans nos mers », avait-il affirmé de sa voix de baryton à l'accent prononcé. Sous-entendu, il était désagréable de tomber dans la mer Blanche, en hiver ou en toute autre saison. C'était une pique contre les règles de sécurité chez Ander-Mack. La compagnie engageait, pour les travaux dangereux, des manœuvres, à de hauts salaires et en dehors des syndicats. Les Russes, par tradition, ne seraient pas contre. Jeff ne se faisait pas trop de soucis. S'il pouvait montrer le contrat à Kyrogine, alors l'affaire serait enlevée. Jeff envisageait une main-d'œuvre russe, plus quelques Ecossais et Anglais venus des sondages pétroliers de la mer du Nord. Des types rudes, comme l'était le travail. Il y avait des morts, des blessés, des départs. Mais la paie était bonne, c'est ce qui comptait pour eux et ce qui comptait pour les Russes, c'était la rapidité.

Peut-être y avait-il un représentant d'une firme concurrente dans l'avion, pensa Jeff tout en balayant du regard les rangées de fauteuils faiblement éclairées. Il n'avait aucune idée de ce à quoi un tel homme pouvait ressembler. Il porterait le même genre de bagages que Jeff, le même genre d'espoirs. Jeff s'étira sur son siège et tenta de somnoler.

« *Tu n'as plus de temps à me consacrer...* »

Jeff sursauta, s'assit. Par-delà le doux ronronnement des réacteurs, la voix de Phyl était parvenue directement à ses oreilles. Jeff se frotta les paupières, bâilla et se rallongea. Il allait refermer les yeux lorsque la jeune fille qui ressemblait à Phyl descendit l'allée dans sa direction, vêtue d'un chemisier clair et d'une jupe sombre. Elle allait s'arrêter à côté de lui et lui parler. Absurde. Mais il se redressa quand elle passa devant sa rangée, comme pour raidir sa volonté, comme s'il n'y avait pas deux personnes entre elle et lui.

Au bout de l'allée, sur l'écran, deux chevaux galopaient bruyamment, en couleurs, vers l'assistance. Complètement réveillé à présent, Jeff subit une longue minute de dépression; on aurait dit que son esprit, en quelque lieu inconnu de lui, descendait dans une vallée noire. Il savait pourquoi il avait pris en charge cette affaire, pourquoi il avait réaffirmé sa confiance en lui : son travail était tout pour lui. Et cependant il savait qu'il avait perdu Phyl à cause de son travail. Phyl s'était fiancée à Guy. Et Guy — ou plutôt sa famille — avait de l'argent. Jeff avait voulu entrer en concurrence, faire ses preuves, sur le plan qu'il pensait important aux yeux de Phyl, celui de l'argent. Bizarrement, Phyl serait peut-être restée avec lui s'il avait gagné moins d'argent et s'il lui avait consacré plus de temps. Par une ironie du sort, elle s'était éloignée de lui, croyant qu'il s'éloignait d'elle. Ils avaient vécu treize mois ensemble, qui consistaient, en fait, en une semaine volée ici ou là, quelques jours passés à l'hôtel à Chicago, San Francisco, Dallas, dans des motels ou dans un certain appartement à Evanston loué au nom de Phyl; heureux moments où Jeff enfermait Phyl au creux de ses bras, où il lui disait : « Tout a merveilleusement marché aujourd'hui. Nous sommes plus riches de 10 000 dollars. Peut-être plus, je n'ai pas encore compté. » Mais ce qui apparemment comptait, en revanche, c'était ces jours écoulés loin de Phyl, guère plus de trois à la fois, mais bien trop nombreux quand même. Du moins c'était ainsi que Jeff voyait les choses. Ce qu'il pensait avoir été sa réussite était un échec vis-à-vis d'elle. Pour Phyl, il avait rassemblé toutes ses forces, pris tout son élan. Et cela, il ne le regrettait pas.

La jeune fille allait repasser dans l'autre sens. Il s'enfonça dans son siège et se couvrit les yeux de la main, afin de ne pas la voir quand elle reviendrait.

A Roissy, les passagers du vol 807 se rendirent en petits groupes vers le contrôle des passeports, où ils formèrent des queues. La jeune fille se trouvait devant Jeff, séparée de lui par une personne, mais lorsque cette dernière, ayant aperçu quelqu'un de sa connaissance, abandonna sa place, il se retrouva juste derrière elle. Elle avait à ses pieds un grand sac de plastique blanc dont dépassait la tête ébouriffée d'un panda en peluche, à côté d'une cartouche de Camel dont un paquet avait été ôté. Jeff laissa s'accroître la distance entre elle et lui. Les tampons des douaniers résonnaient, les queues avançaient lentement. La jeune fille se pencha pour saisir son sac. Le panda tomba à terre. Elle ne s'en aperçut pas.

« Excusez-moi, dit Jeff en le ramassant, c'est à vous, je crois ? »

Les yeux de Phyl se posèrent sur lui, puis sur le panda :

« Oh! merci! Mon porte-bonheur! » Elle souriait.

Même ses dents ressemblaient à celles de Phyl. Les canines étaient pointues. Jeff lui adressa un petit signe de tête courtois. La queue progressa.

« Il m'aurait manqué. Je veux dire, si je l'avais perdu, continua la jeune fille par-dessus son épaule. Merci encore.

— Ce n'est rien. »

Sa voix ressemblait-elle à celle de Phyl? Pas vraiment, pensa Jeff.

L'un derrière l'autre, ils passèrent au contrôle, puis débouchèrent à l'air libre. Paris... Le pouls de Jeff retrouva un rythme normal. Il ne chercha pas à savoir si quelqu'un, parmi les gens qui agitaient la main en direction des passagers, accueillait la jeune fille.

Il récupéra sa valise, puis fila vers les taxis. Au chauffeur, il donna l'adresse de l'hôtel Lutétia. Il était un peu plus d'une heure du matin et il bruinait.

Le réceptionniste de l'hôtel, à qui il s'adressa en français, se montra aimable.

« Vous avez la suite numéro vingt-quatre, monsieur Cormack », précisa-t-il.

Le bar était encore ouvert. Jeff avait l'intention de se faire monter une bouteille d'eau minérale bien fraîche et peut-être du café. Une fois dans la suite — composée d'une vaste chambre et d'un salon — Jeff suspendit dans le placard un costume bleu marine et posa un pyjama de soie sur le lit. Après s'être un peu rafraîchi, il saisit le téléphone. Il avait l'intuition soudaine, parfaitement irrationnelle, que Kyrogine était au George V. Il allait tenter le coup.

On heurta à la porte. Jeff posa le combiné.

Un télégraphiste se tenait sur le seuil, portant un message sur un plateau.

« Un câble pour vous, monsieur. Nous avons oublié de vous le donner à la réception. Excusez-nous. »

Jeff remercia, ouvrit l'enveloppe et sourit :

« Soit l'Intercontinental, soit le George V. »

Il ne s'était pas trompé, pour le George V. C'était de bon augure. Bien que le câble ne fût pas signé, il savait qu'il venait de Ed Simmons. Ed avait remué ciel et terre entre New York et Moscou pour avoir ce genre d'information et faire gagner du temps à Jeff.

Il appela le George V, mais aucun client de ce nom n'y était descendu, ni même attendu.

Déçu, Jeff regarda sa montre. Restait l'Intercontinental. Il décrocha de nouveau l'appareil.

« Il n'est pas encore là, monsieur, lui répondit-on.

— A quelle heure doit-il arriver ? » Jeff était soulagé.

« Ce n'est pas précisé. Ce soir, apparemment, mais sans doute très tard.

— Puis-je laisser un message ? Qu'il appelle M. Cormack — Cor-mack — à l'hôtel Lutétia. Quelle que soit l'heure. C'est très important. »

Jeff n'était pas du tout certain que Kyrogine l'appellerait à n'importe quelle heure de la nuit, surtout s'il arrivait, par exemple, à trois heures du matin, épuisé, ou s'il était en ce moment même en train de discuter, sans avoir eu le temps de poser sa valise, avec le représentant d'une firme adverse. Kyrogine comprendrait le sens de son message et il relierait le nom de Cormack à la compagnie Ander-Mack. Il ne restait plus à Jeff qu'à appeler l'Intercontinental tous les quarts d'heure, en espérant surprendre Kyrogine à son arrivée, avant qu'il n'ait eu le temps de demander qu'on ne le dérange pas.

Jeff défit le reste de ses bagages, posa son attaché-case sur le secrétaire de sa chambre et son carnet d'adresses près du téléphone du salon. Il y avait aussi un appareil près de son lit. Puis il se commanda une bouteille de Vichy.

« Posez-la dans ma chambre, voulez-vous ? Je descends au bar prendre un café. »

Jeff avait soudain envie de se dégourdir les jambes.

Quand il atteignit le hall, la première chose qu'il vit, ce fut la jeune fille. Encore elle. Avec son manteau marine et ses cheveux sombres. Elle parlait au réceptionniste. Jeff avait besoin de dire un mot à l'homme avant de se rendre au bar. Il s'efforça à une allure dégagée et s'approcha :

« J'attends un coup de fil. Si vous le recevez dans le quart d'heure, passez-le-moi au bar. »

La jeune fille avait reconnu Jeff.

« Re-bonjour », dit-elle.

Elle avait l'air las et soucieux.

Jeff la salua en souriant et se dirigea vers le bar à demi désert. Il prit un tabouret, attendit que le barman eût fini de nettoyer un verre et commanda un café.

« Nous fermons bientôt, monsieur, mais vous avez le temps de le prendre. »

La jeune fille — dont Jeff entrevoyait la silhouette — se tenait d'un air indécis à la réception. Puis elle se dirigea vers le bar, avec son sac et sa valise. Elle jeta à peine un coup d'œil à Jeff et s'installa à trois tabourets de distance.

« Avez-vous du jus d'orange frais ? » interrogea-t-elle en anglais.

Le barman nettoyait à nouveau les verres.

« Je suis désolé, mademoiselle, le bar est fermé, répondit-il dans la même langue.

— Un verre d'eau, alors?

— Certainement, mademoiselle. »

Elle attend quelqu'un, supposa Jeff. Peut-être la chambre qu'elle avait réservée n'était-elle pas à son nom et ne pouvait-on la laisser l'occuper. Il se concentra sur son café, qui était très chaud.

Soudain, la jeune fille tourna les yeux vers lui et il le sentit.

« Figurez-vous, explosa-t-elle, que j'avais une chambre réservée ici depuis deux semaines et voilà que j'ai pour eux un jour d'avance... Ils ont dû faire une erreur de transcription... » Elle soupira. « On me propose d'attendre dans le hall jusqu'à demain midi, assise dans un fauteuil! A moins qu'on ne me déniche une chambre dans un autre hôtel, ce qui a l'air improbable car ils en ont déjà appelé trois. »

Cet éclat jeta Jeff à bas de son tabouret. Stupéfait, il se remémora Phyl perdant son sang-froid de la même manière, parlant de la même façon. Simultanément, il cherchait une solution. Peut-être qu'un pucier quelconque aurait une chambre de libre, mais il doutait qu'elle accepte.

« C'est un coup dur. N'y a-t-il pas au moins une petite chambre pour vous?

— Rien. »

Elle sirotait son eau d'un air écœuré.

Jeff paya son café.

« Je vais parler à la réception, voir ce que je peux faire », dit-il en se dirigeant vers le hall.

Le réceptionniste, toujours courtois, était navré.

« Je sais, monsieur Cormack, c'est une erreur de date, répondit-il. Mais nous n'avons pas une seule chambre de libre, pas même une minuscule.

Juste un matelas par terre avec le personnel. Absurde... Et les hôtels moins bien.. ils ne répondent même pas au téléphone, à cette heure ! »

Il haussa les épaules.

Jeff retourna au bar, où la jeune fille l'accueillit avec une lueur d'espoir dans le regard.

« Rien à faire. Ecoutez. Si c'est juste une question d'attendre jusqu'à demain... »

Il chercha ses mots, puis, s'étant convaincu que son but était de se montrer serviable, il se jeta à l'eau :

« Vous pourriez vous reposer dans ma suite. Il y a deux pièces. Pour les quelques heures qui restent avant le jour... »

La jeune fille hésitait, trop lasse pour répondre sur-le-champ.

« Si vous attendez quelqu'un, nous expliquerons tout cela à la réception.

— C'est demain que j'attends quelqu'un... A vrai dire, je donnerais n'importe quoi pour me rafraîchir le visage », ajouta-t-elle dans un murmure.

Elle semblait au bord des larmes.

Jeff sourit et prit sa valise :

« Venez. »

Il remarqua que le panda était toujours dans le sac. A l'accueil, il informa de sa décision le réceptionniste, qui parut un peu surpris mais soulagé de voir le problème résolu et leur souhaita une bonne nuit.

Une fois dans sa suite, il posa la valise sur le canapé. « Mettez-vous à l'aise, dit-il. La salle de bain est au fond de la chambre. Vous pouvez aller et venir, cela ne me dérangera pas. Je crains de devoir rester debout toute la nuit pour une question de travail. »

Elle le remercia. Quelques minutes après, elle

était dans la salle de bain. Son manteau gisait sur le canapé, sa valise était ouverte sur le sol et Jeff entendait le bruit de l'eau qui coulait. Bizarrement, il se sentait assommé. Effrayé, même. Il se rendait compte qu'il préférait ne pas savoir si la jeune fille était ou non la fille de Phyl. Il ne poserait aucune question capable de l'éclairer sur ce sujet.

Jeff appela l'Intercontinental. Il était deux heures trente-sept du matin.

« Non, M. Kyrogine n'est pas encore arrivé, lui répondit-on.

— Merci. »

Jeff se sentit soudain découragé. Il imagina un concurrent audacieux, ayant découvert l'heure d'arrivée de Kyrogine, allant le chercher à l'aéroport et le conduisant à son propre hôtel pour y discuter, puis Kyrogine acceptant ses conditions. Le tout joyeusement fêté par quelques verres de vodka.

Quand la jeune fille revint, Jeff se tenait près du téléphone.

Elle lui sourit, le visage frais et rose :

« C'était merveilleux ! »

Jeff acquiesça de la tête d'un air absent. Il réfléchissait aux horaires des vols en provenance de Moscou. A moins que Kyrogine ne fût descendu ailleurs qu'à l'Intercontinental, même s'il y avait réservé...

« Je vais dans la chambre. Installez-vous confortablement ici. Vous avez certainement sommeil. Je pense que ce canapé a juste la bonne longueur. »

Elle s'y était déjà étendue et ôtait ses chaussures.

« Pourquoi devez-vous veiller toute la nuit ? demanda-t-elle avec une curiosité de petite fille.

— Parce que... J'attends quelqu'un qui arrive de Moscou et qui n'a pas encore rejoint son hôtel.

— Moscou? Vous faites partie du gouvernement? »

Jeff sourit.

« Non, je suis un simple ingénieur. Voulez-vous un peu d'eau minérale? C'est tout ce que j'ai à vous offrir. »

Elle accepta. Jeff la servit et alla chercher un verre pour lui dans la salle de bain. Elle avait abandonné son gant de toilette sur le rebord du lavabo, par habitude, probablement. Il ôta sa cravate, ouvrit son col, se débarrassa de sa veste, puis retourna se verser un verre de Vichy. Il avait soif.

« Je vais prendre une douche, annonça-t-il. Si le téléphone sonne, appelez-moi, voulez-vous? Je crains de ne pas l'entendre. »

Quand il eut terminé, il enfila un pyjama, puis une robe de chambre en seersucker. Il avait fermé la porte de communication avec le salon. Il frappa doucement au cas où elle dormirait déjà.

« Oui? »

Elle était à demi allongée sur le canapé, entièrement habillée, et lisait un magazine.

« J'ai pensé que vous auriez peut-être envie de prendre un bain ou une douche. Dites-moi, vous n'allez pas passer toute la nuit ainsi?

— Je ne sais pas. Je n'ai plus sommeil, brusquement. Ce doit être le second souffle. C'est tellement bizarre d'être ici... »

Jeff se mit à rire :

« C'est une nuit bizarre. Un matin, plutôt. Je vais essayer de mettre à nouveau la main sur ma proie, puis je lirai un peu. Cela ne me dérangera pas si vous allez dans la salle de bain. »

Il retourna dans la chambre sans fermer tout à

fait la porte et appela l'Intercontinental. Kyrogine n'était toujours pas là. Il était plus de trois heures. Devait-il essayer un autre hôtel ? Le Hilton ? Téléphoner à Roissy pour savoir l'heure du prochain vol en provenance de Moscou ? Il se souvint brusquement qu'il avait une bouteille de scotch dans sa valise, et s'en versa un peu. Puis il alla frapper à la porte entrouverte.

« Dites... » La jeune fille lisait toujours. « Je ne sais même pas votre nom.

— Eileen. »

Eileen comment, se demanda-t-il, puis il se souvint qu'il s'était promis de ne pas chercher à savoir.

« Eileen, voulez-vous boire un verre ? J'ai trouvé du scotch dans mes bagages.

— Oui, merci. Cela me fera du bien. »

Il la servit, lui offrit de la glace.

« Ça a marché, au téléphone ? demanda-t-elle.

— Non. »

Il prit une cigarette.

« De quoi s'agit-il ? C'est top secret, peut-être ?

— Non, à moins que vous ne soyez une concurrente. C'est à propos d'installations pétrolières dans la mer Blanche. Ma boîte fabrique ce genre d'équipements. Il nous faut le marché... Et j'ai une offre intéressante à faire », ajouta-t-il, comme s'il pensait tout haut ou tentait de se justifier.

Il se mit à marcher lentement autour de la pièce. Il se souvenait de l'époque où il parlait à Phyl de son travail : à l'époque, il aurait souri, se serait approché de Phyl, l'aurait embrassée et...

« Vous êtes quelqu'un de très sérieux, n'est-ce pas ? »

« *Tu n'as plus de temps à me consacrer...* »

La phrase résonnait à nouveau aux oreilles de

Jeff. Maintenant, l'accent de la jeune fille, sa voix évoquaient ceux de Phyl, avec une certaine résonance dans les aigus, semblable au son d'un instrument à cordes.

« J'espère que vous réussirez, disait-elle. La mer Blanche... Je sais seulement où se trouve la Baltique.

— C'est encore plus au nord. Il y a un très grand port, Arkangelsk. »

La jeune fille le regardait d'un air respectueux. Elle but une gorgée de scotch :

« J'aimerais être ici pour quelque chose d'aussi cohérent, d'aussi important que ça... »

Jeff consulta sa montre. Que n'était-il huit ou neuf heures du matin, ce moment où l'on peut enfin commencer à travailler...

« Vous êtes en vacances ici ?

— Je suis ici pour me marier. Amusant, n'est-ce pas ? Enfin, je veux dire, dans la mesure où je suis seule à présent. Mais ma mère arrive demain et mon fiancé suivra, dans deux ou trois jours. Nous allons à Venise pour le mariage. En fait, je ne suis pas sûre que maman vienne à Venise. C'est une personne curieuse. »

La jeune fille eut soudain l'air mal à l'aise et regarda Jeff avec un sourire crispé.

Ainsi, maman allait arriver à cet hôtel, pensait-il. Il tira une bouffée de sa cigarette, fit mine de s'asseoir, se releva.

« C'est une personne curieuse ? interrogea-t-il.

— En réalité, elle trouve que je suis une personne curieuse. Elle a peut-être raison. Mais je ne suis pas sûre de vouloir me marier. Vous voyez ? »

Jeff supposait que le jeune homme était un « charmant garçon », approuvé par la famille. Il n'avait aucune envie d'en apprendre plus sur lui.

180

« Si vous n'êtes pas sûre, pourquoi envisager même de vous marier ?

— C'est ça ! C'est ce que je ressens... Pourrais-je avoir un peu de scotch ?

— Tout ce que vous voulez. » Jeff posa la bouteille sur la table basse. « Servez-vous. »

Elle s'en versa un doigt, mais la bouteille glissa et une rasade supplémentaire tomba dans le verre.

« J'aimerais être quelqu'un d'autre. J'aimerais être ailleurs. Il est... » Elle s'arrêta, fronça les sourcils. « Ce n'est pas tant lui que le fait de refuser d'être coincée. Après tout, je n'ai que dix-huit ans.

— Eh bien... Pourquoi ne pas repousser le mariage ?

— Indéfiniment... Voilà ce dont j'ai envie. » Elle vida son verre d'un trait et se leva. « Cela ne vous ennuie vraiment pas que je prenne une douche ? »

Jeff fit un geste de la tête en direction de la salle de bain.

« Elle est à vous. Vous pouvez même emprunter ma robe de chambre. »

Dans l'encadrement de la porte, la jeune fille hésita, comme devant une grande décision, puis déclara :

« J'aimerais bien vous l'emprunter, même si j'en ai apporté une. »

Elle tendit la main.

En souriant, Jeff défit sa robe de chambre et la lui offrit. Ah ! Jeunesse ! Rébellion ! Soucis ! Eileen ignorait encore ce qu'étaient les soucis. Apparemment, elle n'était même pas amoureuse du jeune homme. Ou bien l'était-elle ? Jeff se contempla dans le long miroir placé entre les deux fenêtres, vérifia qu'il était présentable dans son pyjama. Le mot « rébellion » lui demeurait à l'esprit. Phyl s'était rebellée contre Guy, son fiancé. Pour le pur plaisir du geste, à quelque chose près, pensa Jeff rétrospectivement, et c'était pour lui une idée affreuse. Elle avait froidement plaqué Guy et elle était partie avec lui, Jeff, pendant plus d'un an. Puis elle était revenue — disait-elle — au sens des conventions, ou à la raison. Au prix de quelle souffrance pour lui ! Après dix-neuf ans, il la ressentait encore. Cette petite Eileen avait besoin de conseils, visiblement. Il n'allait pas les lui fournir.

Il consulta de nouveau sa montre, comme pour reprendre contact avec son travail, avec la quête de Kyrogine... Dans peu de temps, on servirait le petit déjeuner à l'hôtel. Cela les remonterait tous les deux. Café noir et croissants chauds sur le coup de sept heures du matin.

Jeff se surprit à rire tout haut. A quarante ans, il était là, dans la suite d'un hôtel parisien, avec une jolie fille à laquelle il n'avait pas fait l'ombre d'une avance, et mourait d'envie de prendre le plus tôt possible un petit déjeuner. Face à lui, dans le miroir, il rencontra son regard et le sourire quitta ses lèvres. Quelques nouveaux fils gris étaient apparus dans ses cheveux. Ses joues avaient besoin d'un bon rasage.

La jeune fille revenait de la salle de bain, pieds nus, ses vêtements sous le bras. Avec sa chevelure légèrement humide, elle paraissait encore plus séduisante.

« Qu'est-ce qui vous faisait rire ? » demanda-t-elle.

Jeff secoua négativement la tête :

« Je ne peux pas vous le dire.

— C'est de moi que vous riiez ?

— Mais non. Que pense votre père de ce mariage ?

— Oh ! papa... » Elle s'abattit sur le canapé, posa ses vêtements en tas à côté d'elle et alluma une cigarette. « Eh bien, en fait, il prétend ne pas vouloir se mêler de ça, mais au fond il tient à ce que je me marie. Dès maintenant, je veux dire. Après tout, j'ai arrêté mes études parce que je croyais être amoureuse — et parce que le mariage me paraissait préférable à la perspective d'une rallonge de trois années à l'université. Vous comprenez ?

— Il me semble. En d'autres termes, votre père et votre mère sont d'accord pour vous voir mariée.

— Oui, mais Phyl — c'est ma mère, je l'appelle souvent comme ça — insiste beaucoup. Elle essaie d'avoir sur moi plus d'influence que papa. Que vous arrive-t-il ? »

Jeff, pris d'une soudaine faiblesse, s'appuya au dossier de sa chaise. La tête lui tournait.

« Rien. Brusquement, je suis très fatigué. Je vais essayer de faire un petit somme. J'en ai besoin. »

Il se leva, se versa un peu de scotch et le but, sec. Le liquide lui brûla la gorge et la langue, lui rendant peu à peu ses forces.

« Vous êtes pâle. Je parie que vous avez travaillé de façon démentielle, ces temps-ci. »

Elle ressemblait à Phyl, avec cette façon de se montrer réconfortante en période critique, de prendre les choses en main — à condition que cela ne soit pas trop grave, comme à présent.

« ... combien je vous admire. Vous jouez un rôle important. Vous avez accompli quelque chose dans votre vie. »

Jeff éclata de rire.

« Ne riez pas, dit-elle, en fronçant les sourcils. Tant d'hommes... et vous n'êtes même pas vieux.

Mon père non plus n'est pas n'importe qui, mais il a hérité de son job; pas vous, je parie. Et franchement, j'imagine mal Malcolm allant bien loin dans l'existence. Il a tout eu trop facilement. »

Malcolm était sans doute le fiancé. Phyl avait-elle jamais fait mention de son propre nom? Une ou deux fois, peut-être? Dans ce cas, la jeune fille n'en aurait guère de souvenir. Il espérait qu'elle ne l'avait pas entendu à la réception. Soudain, elle fut contre lui et ses mains encerclèrent sa nuque.

« Est-ce que je peux? » murmura-t-elle.

Jeff l'attira à lui. Il ferma les yeux et sentit ses cheveux contre son front. Elle avait la même taille que Phyl — avec quelle netteté il s'en souvenait! Puis il la lâcha, fit un pas en arrière.

« Vous m'en voulez? interrogea-t-elle. Ecoutez, je vais vous parler franchement. J'aimerais coucher avec vous. »

Ces derniers mots furent prononcés si doucement qu'il les entendit à peine.

Mais il les entendit.

« Vous avez peur? Je n'en parlerai à personne. Et ce n'est pas d'avoir bu un peu qui me pousse. Je me sens parfaitement sobre. »

Ses yeux, comme ceux de Phyl, regardaient droit dans les siens, avec franchise et une ombre d'amusement.

« Ce n'est pas cela.

— Quoi, alors? »

Pourquoi pas? se disait Jeff. Personne ne saurait. Elle l'avait dit elle-même. Et si Phyl le découvrait, quelle importance, après tout? Aurait-il eu envie d'être méchant qu'il aurait dit que c'était bien fait pour elle. Mais il n'en avait pas envie.

« Autre chose, disait la jeune fille. J'aimerais vous revoir. Encore et encore. Vous voyagez beaucoup ? Je pourrais en faire autant. J'ai envie de ça, actuellement. »

Elle tenait encore la main droite de Jeff dans la sienne et elle accentua sa pression. Il la désirait mais, simultanément, une pensée lui traversa l'esprit, l'idée que ce serait profiter de la jeune fille au moment où elle était bouleversée (ce dont pratiquement aucun homme ne se serait privé, il en était conscient) et puis il ne voulait pas perdre le souvenir de Phyl, telle qu'elle avait été avec lui, au profit de cette jeune fille, sa copie presque conforme. Presque. Car même son visage était un peu différent. Jeff sourit, retira sa main.

« Calmez-vous. Vous n'êtes pas dans votre état habituel. »

La phrase ne la blessa pas. Elle lui jeta un regard malicieux.

« Vous êtes un drôle de type. »

Il ne mordit pas à l'appât.

« Vous allez épouser votre " garçon bien sous tous les rapports ", dit-il en allumant une cigarette, et vous le savez. Alors pourquoi éprouvez-vous le besoin de folâtrer avec quelqu'un d'autre ?

— Ah ! parce que vous pensez que c'est mon habitude de...

— Vous dites des conneries. »

Cette fois, il avait fait mouche.

« Et vous, vous parlez comme un Américain.

— Je suis américain, je l'ai précisé tout à l'heure. »

Il était furieux et il savait pourquoi, à présent. Cette fille le ferait marcher, lui et d'autres, d'ailleurs, ainsi que Phyl l'avait fait, les conduirait tous au désespoir s'ils étaient assez sots pour tomber amoureux. La violence même de cette évocation provoqua chez lui un sentiment de pitié à l'égard de la jeune fille, pareil à celui qu'il aurait éprouvé s'il avait parlé tout haut et l'avait blessée.

« Cela ne veut pas dire que je sois votre ennemi », reprit-il. Pourtant, c'était bien ce que cela signifiait. « Pourquoi ne pas laisser les choses où elles en sont ? »

Elle avait l'air stupéfait, maintenant.

Le téléphone sonna. Un instant, Jeff se détendit — tel un boxeur sauvé par le gong — puis il se demanda qui cela pouvait être, à part Kyrogine, mais ce serait presque trop beau pour être vrai. Il décrocha.

« Allô, Cormack ? fit une voix profonde. Ici Kyrogine. Dites-moi, quelle heure est-il ? »

Le Russe semblait légèrement parti.

« Je n'en sais rien. Quatre heures du matin, peut-être. Merci de m'avoir appelé. Ecoutez, monsieur Kyrogine, j'aimerais beaucoup vous rencontrer. Vous êtes à l'Intercontinental ?

— Oui, et j'ai terriblement sommeil. Mais je sais... je sais que... vous êtes un ingénieur américain.

— Pouvons-nous nous voir demain matin de bonne heure ? Enfin, ce matin ? Après que vous aurez dormi un peu ? »

Silence. Rien qu'une respiration à l'autre bout du fil. Kyrogine allumait-il une cigarette ou s'était-il évanoui ?

« Monsieur Kyrogine... Semion...

— Semion à l'appareil, dit Kyrogine.

— C'est à propos de la mer Blanche... » Jeff insistait, pensant que si quelqu'un écoutait leur conversation à cette heure-ci, il méritait une médaille. « Avez-vous conclu le marché ou pouvons-nous encore discuter ? » Une longue pause. « Avez-vous parlé de cela avec quelqu'un d'autre cette nuit ?

— Cette nuit, j'étais avec ma petite amie française. »

Jeff sourit et s'assit sur la chaise qui était derrière lui.

« Je vois. Dans ce cas, puis-je vous appeler après dix heures, quand vous vous serez un peu reposé ? Votre premier rendez-vous est avec moi, Jeff Cormack. Entendu, monsieur Kyrogine ?

— Entendu. Je n'ai rien fichu cette nuit », ajouta-t-il d'un ton lamentable.

C'était la plus douce confession que Jeff eût entendue. « Aucune importance, Semion. Dormez bien. A tout à l'heure. »

Il raccrocha et se tourna, radieux, vers la jeune fille.

Eileen lui rendit son sourire avec un air de triomphe. On aurait cru qu'elle avait participé à la victoire.

« Vous allez être le premier à le rencontrer ?

— On dirait. » Jeff se frotta les mains, puis se leva. « On va fêter ça ! »

Il servit deux autres scotches. Le plaisir que la jeune fille prenait à son succès (enfin, à son premier pas vers le succès) lui était perceptible. C'était pareil avec Phyl, autrefois. C'est Phyl qui avait insufflé à Jeff le courage de quitter son patron et de fonder sa propre affaire. Phyl qui l'avait mis sur orbite, qui lui avait donné toute la confiance et tout le bonheur du monde. Il savait que, de même que dans des circonstances similaires il avait couché avec Phyl, il pouvait coucher maintenant avec la jeune fille. Il en avait l'égal désir. Il la contempla d'un autre œil, comme s'il la voyait pour la première fois.

Elle le comprit. Elle posa son verre, l'enlaça, se pressa contre lui.

« C'est·oui ? » interrogea-t-elle.

C'était encore non. Et, cette fois, Jeff ne pouvait expliquer pourquoi. Il refusait d'essayer de trouver les mots pour cela.

« C'est non », dit-il et il sortit du salon. Il alla prendre son rasoir électrique dans la chambre, s'attaqua à sa barbe et se lava les dents. Puis il retourna auprès de la jeune fille.

« Je vais dormir un peu, dit-il. Ne voulez-vous pas en faire autant ? Vous préférez peut-être prendre le lit ? Je m'allongerai sur le canapé.

— Non », répondit-elle d'une voix ensommeillée, enfin fatiguée.

Jeff était las, lui aussi. Il n'avait aucune envie de discuter.

« Voulez-vous me faire une faveur ? Ne prononcez jamais mon nom devant votre mère. Jamais. Entendu ?

— Pourquoi le prononcerais-je ? Il ne s'est rien passé entre nous. »

Il eut un sourire. Peut-être ne se souviendrait-elle pas de son nom, effectivement.

« Entendu, Eileen, bonne nuit. »

Il ferma la porte de communication, demanda à la réception qu'on le réveille à neuf heures trente, se coucha et s'endormit avec un long soupir.

Quand le téléphone sonna, la jeune fille était debout, déjà prête, et se maquillait devant le miroir du salon. Jeff avait commandé un petit déjeuner pour deux.

« A quelle heure arrive votre mère ? demanda-t-il.

— Son avion atterrit à dix heures, je crois. »

Jeff était soulagé. Il allait faire sa valise, régler sa note et passer — du moins il l'espérait — la plus grande partie de la matinée avec Kyrogine. Quoi qu'il en soit, Phyl ne serait pas tout de suite à l'hôtel ni même dans une heure. En prenant sa première tasse de café, Jeff appela Kyrogine qui, à sa grande surprise, répondit sur-le-champ, d'une voix parfaitement claire.

« Très bien, monsieur Cormack ! Venez quand vous le voulez. »

Quand Jeff eut bouclé sa valise, il dit à la jeune fille :

« Vous pouvez rester ici jusqu'à midi. Je règle maintenant, parce que... »

Elle l'interrompit :

« Bonne chance avec le Russe ! »

Elle prenait son petit déjeuner sur la table ovale du salon.

« Merci, Eileen, répondit Jeff en souriant. Je suis optimiste quant au résultat. Vous m'avez sûrement porté chance... Maintenant, je me sauve, car Kyrogine m'attend. »

Elle avait allumé une cigarette et s'était levée.

« Au revoir et merci... merci pour m'avoir dépannée.

— Ne me remerciez pas. Soyez heureuse. Au revoir, Eileen. »

Jeff prit ses bagages et sortit. A la réception, il demanda qu'on lui prépare sa note, laissa sa valise et dit qu'il la reprendrait à son retour, au moment où il réglerait. Il avait hâte de rencontrer Kyrogine. Il sauta dans un taxi.

Kyrogine l'attendait dans sa chambre. Il portait une robe de chambre de soie et, sur la table, étaient posés le plateau du petit déjeuner dévasté et une bouteille de vodka à demi vide. Il commanda du café pour deux et ajouta de la vodka à sa tasse. Le téléphone sonna. Kyrogine répondit en anglais qu'il était en rendez-vous. En moins d'une demi-heure, Jeff avait l'accord verbal de Kyrogine. Il avait utilisé sa méthode de persuasion habituelle : d'abord un exposé des difficultés et des coûts, puis une estimation des prix et des délais des autres firmes par rapport à ceux d'Ander-Mack. Kyrogine possédait ainsi les éléments nécessaires à sa décision et pouvait lui en faire part, verbalement, bien entendu, ce qui ne lui donnerait pas l'impression d'être lié. Jeff avait apporté six exemplaires du devis. Il en remit quatre à Kyrogine, pour qu'il les montre à ses collègues.

« Maintenant, vous prendrez bien un peu de vodka, dit Kyrogine.

— Maintenant, peut-être. Avec plaisir. Je rapporte de bonnes nouvelles à New York.

— Donnez-les-leur tout de suite ! s'écria Kyrogine avec un grand geste en direction du téléphone.

— C'est très gentil. »

Jeff demanda au standard le numéro du domicile de Ed Simmons à New York. Il devait être cinq heures du matin là-bas, mais Ed ne serait pas dérangé par ce genre de coup de fil.

Ed répondit d'une voix ensommeillée; cependant, le ton de Jeff et les nouvelles le réveillèrent tout à fait.

Jeff raccrocha rapidement et Kyrogine lui offrit un excellent cigare. C'était comme au bon vieux temps de ses vingt-trois ans, quand, après avoir conclu un marché fabuleux — du moins le croyait-il — il allait rejoindre Phyl quelque part. Eileen l'avait rapproché de Phyl, Phyl avec sa lueur dans le regard, sa fierté de le voir gagner. Et chacune de ses victoires l'avait rendu plus proche d'elle...

« A quoi pensez-vous ? » interrogea Kyrogine dans un nuage de fumée.

Il souriait.

190

« Oh, je rêvais. C'est la faute à votre vodka. »

Jeff se leva et prit congé. La poignée de main du Russe était redoutable.

Il était déjà midi moins deux. Jeff reprit un taxi pour le Lutétia.

Lorsqu'il pénétra dans le hall, il vit de nouveau la jeune fille. Près d'elle se tenait Phyl. Il s'arrêta net. Phyl, un chapeau crânement posé sur la tête, était un peu en retrait de la réception, visiblement furieuse. Ses joues étaient roses tandis qu'elle faisait un sermon à sa fille. Elle semblait moins grande qu'Eileen, moins grande qu'il ne se le rappelait, d'ailleurs, mais c'était parce qu'elle avait grossi. Phyl leva un poing menaçant. La jeune fille tourna à peine la tête, ne recula pas. Phyl avait dû apprendre qu'Eileen avait passé la nuit dans la suite d'un homme — soit par la réception, soit de la bouche de sa fille elle-même.

Soudain, le rêve de Jeff se brisa. Quelque chose mourut. Tout mourut. Phyl se tourna vers lui, mais, dans sa colère, ne le vit pas. Jeff s'aperçut que son visage était empâté et que, sous le chapeau, ses cheveux étaient d'une bizarre teinte roussâtre. Ce n'est pourtant pas cela qui le choquait, mais l'expression courroucée de son visage, la laideur d'esprit qui transparaissait ainsi, tandis qu'elle tançait la jeune fille. C'était la pruderie, le goût du conventionnel, des faux-semblants, le côté puritain, hypocrite, de la chose — car, au nom du Ciel, Phyl n'avait-elle pas agi de même à l'âge d'Eileen ? N'avait-elle pas eu une liaison avec qui lui plaisait — Jeff, en l'occurrence ? Ensuite, volte-face, retour à la respectabilité, à ce rôle de bonne et sérieuse épouse qu'elle incarnait avec tant de lourdeur.

Etait-ce de cela qu'il avait toujours été amoureux ?

Et si, aujourd'hui, il avait été marié à Phyl?

Jeff avait l'impression d'être sur le point de mourir. Il ne défaillait pas, ne vacillait pas. Il se tenait aussi immobile qu'une statue. Puis Phyl et Eileen se dirigèrent vers les ascenseurs, la première encore raide de colère, la seconde souple et rebelle. Jeff se rappela ce qu'il avait évoqué là-haut, dans la suite : la jeune fille, comme Phyl, continuerait sa route, trouverait un autre homme (peut-être avant de se marier), le ferait marcher, l'abandonnerait, se marierait, aurait peut-être une fille, très jolie évidemment, qui ferait exactement la même chose, en une infinie progression, une infinie procession.

Une deuxième idée, terrible, mais pas nouvelle, lui vint alors à l'esprit : si Phyl avait trahi Guy, qui était déjà presque son mari, lui, Jeff, aurait semblablement été trahi en son temps, même s'il l'avait épousée. Si les promesses faites aux amants n'avaient qu'une valeur relative, il n'en irait pas autrement des vœux conjugaux. En fait, lesquels avaient la primauté? Pour Phyl et ses pareilles, tout cela se tenait et rien n'avait valeur de durée. Ce qui comptait finalement, c'était « la façon dont les choses se présentaient ». Et ce que Phyl et ses pareilles avaient en commun, c'était une certaine sécheresse du cœur.

La porte de l'ascenseur, charitablement, se referma sur Phyl et Eileen, les dérobant aux regards de Jeff.

Il alla prendre sa valise, paya sa note et refusa le taxi que lui proposait le portier. Sans savoir pourquoi, il tourna à droite au premier coin de rue. Il était assez lucide pour se rendre compte qu'il se trouvait dans une espèce de brouillard, qu'en quelque sorte rien n'avait d'importance, ni où il allait, ni ce qu'il faisait, ni où il était, ni même qui il était. Ni l'heure ni le pays. Il marcha quelques minutes.

L'attitude moralisatrice, puritaine, de Phyl le dégoûtait. Cela lui ressemblait si peu ! Et pourtant c'était cela aussi, Phyl, aujourd'hui. Il avait vécu d'un rêve, un rêve fou. Rêve de quoi ? Même pas de l'épouser un jour... Ah ! s'il ne l'avait pas vue ce matin...

Et après ?

Il n'en mourrait pas. C'était clair. C'était la seule chose claire. Mais c'était déjà beaucoup. Et il avait réussi auprès de Kyrogine. Et il allait rentrer à son bureau, à New York.

Et tout cela, soudain, n'avait plus la moindre importance. Tout cela avait aussi peu d'importance que le foyer de pacotille qu'il partageait avec Betty, que les apparences sauvegardées, avec un fils adolescent inscrit à une école bien. L'argent. Aucun sens. Sa vie n'avait aucun sens.

Quelqu'un le heurta à l'épaule. Jeff s'aperçut qu'il se tenait à un grand carrefour et qu'il n'avait pas bougé quand le feu était devenu rouge. Mais il savait ce qu'il voulait. Du moins la moitié de son esprit le savait. L'autre moitié ne comptait pas. Il ne pensait pas. Il était au-delà. Il avait assez pensé. Cela lui passa par la tête en un éclair. Un gros camion s'avançait vers lui dans un bruit de tonnerre, en pleine vitesse. Jeff lâcha sa valise et son attaché-case et se jeta sous les roues, tel un goal qui ne bloquerait que le vide. Il ne sentit, vraiment, que le choc des pavés.

LA DERNIÈRE FÊTE
DE CHRIS

Titre original de la nouvelle
CHRIS'LAST PARTY

Six à huit lettres attendaient Simon Hatton dans la suite de son hôtel. Parmi elles, il remarqua un télégramme et l'ouvrit en premier. L'expéditeur était un certain Carl. Ce prénom n'évoquait rien de précis à Simon.

« *Chris aux dernières extrémités. Sommes tous présents sauf toi, le douzième. Viens.*
N'ignorons pas que tu travailles mais c'est important. Appelle 984-1064 pour confirmation. Chris ne fera pas le saut sans toi. Ton vieux copain, Carl. »

Carl Parker, bien sûr... Ce n'était pas un vieux copain. Une relation, plutôt, et même un rival, à un moment. Mais Christopher Wells aux portes de la mort ? Cela paraissait incroyable et pourtant le cher homme avait au moins quatre-vingt-dix ans — non, quatre-vingt-quatorze. Son emphysème, évidemment. Depuis dix ans, Chris vivait avec un gadget producteur d'oxygène dans sa chambre, Simon le savait. De temps à autre, il en inhalait un peu, tout en essayant en revanche de ne pas inhaler la fumée des cigares légers que le médecin autorisait, ou de la cigarette occasionnelle à laquelle Chris n'avait jamais pu renoncer complètement. Le télégramme venait de Zurich. Chris possédait dans les environs un chalet avec un vaste domaine où Simon était allé, quatre ans auparavant, la dernière fois qu'il avait vu Chris. A l'époque, Chris passait la moitié de son temps dans un fauteuil roulant. Qu'en était-il de lui à présent ? Simon l'imaginait sans peine : il donnait une fête, tandis qu'à tout moment son maître d'hôtel versait le champagne et que son cuisinier élaborait des mets raffinés. Chris aimait ses protégés. Jamais il n'accepterait de mourir sans dire adieu à chacun d'entre eux, y compris Simon, le douzième disciple — étrange coïncidence.

Soudain, Simon eut peur. Il lui vint à l'idée de téléphoner à Zurich pour dire qu'il n'avait pas à venir, puisque Chris vivrait peut-être aussi longtemps qu'il ne serait pas là, sans parler des huit représentations par semaine qu'il donnait de *William* à New York.

Un coup frappé à la porte le fit sursauter. Son champagne arrivait.

« Entrez, dit-il.

— Bonsoir, monsieur », fit le garçon en veste blanche.

Il apportait sur un plateau un quart de champagne et des biscuits non sucrés.

« Suis-je trop en avance, monsieur ?

— Non, c'est parfait. »

Simon regarda sa montre, tout en sachant qu'il était dix-sept heures trente ou dix-huit heures. Il était dix-huit heures quatre. Puis il ôta son manteau et remarqua qu'une gouttelette en tombait. Il neigeait, aujourd'hui. Ses cheveux blonds ondulés étaient également humides.

Le garçon prit son manteau et le rangea dans l'armoire avant que Simon eût pu faire un geste.

« Voulez-vous que l'on vous appelle comme d'habitude à dix-neuf heures vingt ?

— Oui. »

Le rideau se levait à vingt heures quarante.

Simon faisait toujours un petit somme à cette heure. Le standardiste de l'hôtel le réveillait, bien qu'il eût mis son réveil de voyage. La veille étant un lundi, jour de congé pour lui, il était allé dans le Connecticut rendre visite à des amis dont le chauffeur était venu le prendre tard dans la soirée du dimanche, après la représentation. La journée n'avait pas été fatigante. Pourtant, Simon se sentait las. Commencerait-il à se sentir vieux, à quarante-neuf ans ? Un âge épouvantable, quarante-neuf ans, car il précédait le numéro cinquante. Et là, plus question d'âge mûr. On était âgé, tout simplement.

Il ôta ses chaussures et revint prendre ses lettres dans le salon. Il enleva son veston, sa chemise, ses pantalons et se mit au lit. D'après le nom inconnu de l'expéditeur sur deux des lettres, c'étaient des missives d'admiratrices. Une autre portait en rouge la mention « Express-Eilsendung ». Il s'attendit à un supplément de mauvaises nouvelles à propos de Chris. La lettre, manuscrite, était également signée de Carl.

7 décembre

Cher Simon,

Chris est au plus mal depuis une semaine et il semble que ce soit bientôt la fin. Il a rappelé auprès de lui tous ses anciens — comment dire ? — étudiants. Il t'a écrit en Californie. Plus tard, il s'est aperçu que tu ne devais pas y être, puisque la pièce se jouait à New York (à propos, félicitations pour William*). Actuellement, nous sommes neuf à « High-Ho ». Deux autres doivent arriver*

demain, Freddy Detweiler et Richard Cook. Il y a
plein de place ici et cela n'a rien d'une veillée
funèbre. Quelques heures au cours de la journée,
pendant qu'il est debout et s'occupe de nous,
Chris est en pleine forme. Le reste du temps, il
est couché, mais il adore qu'on aille bavarder
avec lui vingt-quatre heures sur vingt-quatre !

Viens. Chris trouve ton absence bizarre. Utilise
ta doublure pour un jour ou deux, mais hâte-toi.

Il y a presque un mois, Chris m'a appelé au
téléphone. Il m'a dit qu'il était sûr de mourir en
décembre, fin d'une année, fin d'une vie et ainsi
de suite. Viens le premier décembre, disait-il, ou
le plus tôt possible après cette date, « je ne te
retiendrai pas longtemps ». N'est-ce pas typique
de Chris ?

Simon comprenait bien, mais, tandis qu'il
repoussait la lettre et enfonçait sa tête dans
l'oreiller, son esprit demeurait troublé, indécis. Il
n'aurait pu décrire verbalement son état. Il se
sentait bouleversé et sur ses gardes à la fois.
C'était comme si Chris, pour lui rappeler son existence, lui avait donné une rude bourrade dans les
côtes. Chris n'avait pas toujours été gentil, ni
même correct. Quoique... Oui, la gentillesse de
Chris l'emportait sur tout le reste. Il s'était montré égoïste, exigeant, mais, honnêtement, Simon
ne pouvait dire qu'il se soit révélé sans cœur ou
l'ait laissé tomber. Et il avait prédit à Simon qu'il
serait un bon acteur, à condition qu'il fasse ceci
ou cela, qu'il se discipline, qu'il étudie telle ou
telle technique. Chris était un metteur en scène,
s'il fallait lui donner un titre. Il avait trois ou
quatre productions célèbres à son actif, mais il
avait toujours eu de l'argent par sa famille et il ne

faisait que tâter un peu du théâtre, n'ayant pas besoin de travailler tout le temps.

Ce qui avait inspiré Simon, c'était ce mot de louange glissé à l'oreille du garçon de vingt ans qu'il était, venant d'un homme de plus de soixante qui avait pris la peine de se rendre en coulisses pour le rencontrer. Simon jouait alors durant la saison d'été, avec un groupe théâtral, à Stockbridge, dans le Massachusetts. Lorsqu'il se remémorait la scène, son cœur s'affolait. L'enthousiasme de Christopher Wells avait allumé sa propre flamme. Aurait-il pu arriver sans lui ? Sans ce dandy vieillissant, un peu stupide, en un sens, qui s'habillait bien pour attirer les regards dans les restaurants et les théâtres de New York ou de Londres ? Chris avait fait faire à Simon son premier voyage en Europe.

Pendant quelques instants, Simon fut saisi par un mélange de rancœur, d'orgueil, d'indépendance, bientôt remplacé par le souvenir heureux de ses premières semaines auprès de Chris. Étonné, flatté, il avait alors l'impression de marcher sur un nuage. C'était un sentiment différent de l'amour, car il se trouvait indissolublement lié à son travail et pourtant, il en était infiniment proche. Il se souvenait fort bien que Chris l'avait fait marcher à la baguette, comme un chien de cirque.

À cette évocation, Simon se leva et fit le tour de sa chambre, relâchant la tension de ses épaules. Il ne succomba pas à la tentation d'allumer une cigarette. Il revint à son lit et s'allongea sur le ventre, les yeux clos. Dans quarante-cinq minutes, il devrait être prêt. Un taxi l'attendrait, son travail aussi. Il lui fallait jouer. Le public, à la fin, resterait silencieux, triste. C'était une pièce sérieuse et triste, *William*.

Et il savait qu'il allait prendre un billet pour Zurich, peut-être pas ce soir mais demain, après qu'il se serait arrangé avec sa doublure, Russel Johnson.

De l'imaginaire! *William* était de l'imaginaire, tout comme le jeu de l'acteur, rien que du faux-semblant.

Il s'envola pour Zurich le lendemain matin. Sa doublure avait été visiblement ravie d'avoir l'opportunité de le remplacer. Simon avait bien joué, la veille au soir. Il s'était souvenu des paroles de Chris : « C'est un métier, pas de la magie, mais le public aide à ton inspiration, *évidemment*. On peut dire que le public crée la magie. » Simon se remémorait cet « *évidemment* » qu'il prononçait souvent, un mot rassurant lorsqu'on a déjà pris sa décision, et même lorsque Chris proposait de sauter une falaise sans parachute ou quelque chose d'approchant. « *Evidemment* tu peux y arriver. A quoi servirait le talent, autrement ? Tu en as. C'est pareil à de l'argent en banque. Il faut l'utiliser. »

Et puis il y avait ces vers de William Blake qu'il aimait à répéter :

Si le Soleil et la Lune venaient à douter,
Dans l'espace d'un instant ils disparaîtraient.

Il se sentait bizarre, comme s'il allait à la rencontre de sa propre mort. Quelle absurdité! Il était en bonne condition physique et, chez Chris, il trouverait non seulement de l'air pur, mais des eaux de source, des chemins où se promener, un court de tennis qui avait été vendu avec la propriété et dont Chris ne se servait pourtant jamais. Cela allait être toute une affaire de renouer avec ces vieilles connaissances, Carl Parker, Peter de

Molnay, des personnes authentiques ou des êtres frelatés, certains peut-être affligés d'une calvitie naissante et d'un embonpoint. Mais chacun avait réussi, comme lui. Simon n'était resté en contact étroit avec aucun. Il lui arrivait de recevoir une ou deux cartes postales pour Noël, de même que, sur une impulsion, il en envoyait une ou deux. Tous avaient un point commun : Chris Wells, qui les avait découverts, soutenus par son amitié ou ses encouragements, touchés dans leur jeunesse de son doigt magique, tel Dieu donnant vie à Adam. L'image de la fresque de Michel-Ange traversa un instant l'esprit de Simon, mais sa trivialité le fit tressaillir.

Simon avait prévenu par téléphone de son arrivée à « High-Ho »; un domestique avait reçu le message. Il s'attendait à trouver Peter ou Carl à l'aéroport, mais il ne reconnut aucun visage. Puis il aperçut la petite pancarte marquée « Hatton » que tenait un inconnu, un homme trapu aux cheveux sombres.

Simon acquiesça d'un signe de tête :

« C'est moi. Bonsoir.

— Bonsoir, monsieur, dit l'homme avec un accent allemand. C'est là tout votre bagage ? ajouta-t-il en s'en saisissant. Venez, la voiture est par là. S'il vous plaît. »

L'air était vif, différent. Simon s'enfonça dans le siège arrière d'une grosse automobile, qui démarra aussitôt.

« Et comment va... monsieur Wells ?

— Bien, monsieur. Mais il doit se reposer la plupart du temps. »

Simon renonça à en apprendre plus. Ils glissèrent dans la nuit. Après une heure de route, Simon prit conscience des montagnes noires qui les entouraient, cachant la lueur des étoiles. Pourtant, la voiture ne semblait pas grimper. Enfin, ils passèrent entre de hautes grilles de fer forgé et les lumières d'une maison, à demi cachées par les arbres, apparurent. Simon se ressaisit. Une haute et mince silhouette vint à sa rencontre.

« Simon ! C'est toi ? »

Peter de Molnay ouvrit la portière avant le chauffeur. Simon et lui se donnèrent une poignée de main ferme. Une quinzaine d'années auparavant, ils se connaissaient bien, mais Simon considéra qu'ils auraient pu à présent être de parfaits étrangers échangeant des politesses et des sourires de circonstance.

« Chris est couché, dit Peter, mais il ne dort pas. »

Il était minuit. Pourtant, les onze visiteurs ou invités étaient tous debout, répartis entre le vaste living-room où brûlait un feu de cheminée et une cuisine entièrement illuminée où, sans aucun doute, un chef s'activait encore.

« Simon ! Je suis Richard — Richard Cook. Tu te souviens de moi ? »

Maladroitement, Richard retira sa main et lui donna l'accolade. Il avait du ventre, le haut du crâne dégarni et les tempes grises — mais bien sûr ce physique correspondait à certains rôles et Simon savait que Richard travaillait pas mal.

« Simon ! Sois le bienvenu ! »

« Mais c'est Simon ! On savait bien que tu viendrais ! »

Carl Parker, toujours blond et svelte, l'éternel jeune premier, s'empara de sa main.

Plusieurs personnes se mirent à parler en même temps. Des questions fusèrent. Etait-il fatigué ? Combien de jours pourrait-il rester ? L'ambiance évoquait celle d'une soirée. Non, Simon ne

204

se sentait pas fatigué. Nerveux, seulement. Il avait envie de voir Chris et il le dit.

« Bien sûr, il tient à te voir, Simon ! Vas-y. »

Simon suivit l'homme de l'aéroport, qui porta sa valise jusqu'à sa chambre.

« J'espère que vous y serez bien, monsieur. Il n'y a pas de salle de bain, mais... »

Simon écouta d'une oreille distraite l'homme — il avait appris qu'il s'appelait Marcus — qui lui indiquait l'emplacement de la salle de bain.

« Puis-je voir Chris... monsieur Wells ?

— Un instant, monsieur. »

Marcus sorti, Simon défit la courroie de sa valise sans l'ouvrir. Puis il demeura au garde-à-vous face à la porte, comme si Marcus allait arriver d'un instant à l'autre avec un ordre militaire.

« Vous pouvez venir, monsieur. »

Simon avança, escorté jusqu'à une porte à laquelle Marcus frappa doucement.

« Entrez. »

La voix de Chris trahissait son âge. Simon le ressentit douloureusement, bien qu'il ne fût plus tout jeune lui-même. Qu'allait penser de lui Chris ? Il trébucha sur le seuil, peu habitué à trouver une marche à un tel endroit, et se mit à rire.

Chris l'imita :

« Superbe entrée en scène ! Tu es venu... sois-en remercié. Embrassons-nous ! »

Aveuglé par les larmes, Simon se pencha et déposa un baiser sur sa joue à la fois rose et pâle. Sous le drap blanc et la couverture rose, il devinait une forme imposante. La pièce était surchauffée. Simon recula, cligna des paupières.

« Tu as...

— J'ai une mine épouvantable, mais je vais me lever dans un instant et j'aurai meilleure allure. »

Les fins cheveux clairs de Chris étaient encore

plus clairsemés et mous, son visage apparaissait plus large et plus affaissé que Simon ne l'aurait imaginé. Seigneur, pensa-t-il, c'est bien la mort! Chris était-il aussi sous cortisone? Ses yeux bleus, autrefois si vifs, semblaient feindre cette vivacité d'antan par un mouvement volontaire du coin des paupières.

« J'ai lu les critiques, Simon, sur *William.* Tu vois, je me tiens au courant. Félicitations. Où est ta main? »

Simon tendit sa main droite; elle était plus froide que celle de Chris. Il jeta un regard sur le cylindre brillant, rappelant un extincteur, qui était installé au bout du lit.

« Alors, tout va bien, n'est-ce pas, Simon? Je suis fier de toi. J'ai vu ton film *L'échange...* l'année dernière. Tu étais excellent du début à la fin. Tu portais toute la distribution sur tes épaules...

— Eh bien... »

Rarement Simon avait entendu de telles louanges dans la bouche de Chris, même quand, à l'âge de vingt-quatre ans, il avait obtenu son premier bon rôle dans une pièce de Bernard Shaw. Comment s'appelait-elle déjà?

« Va te laver les mains et fais-toi servir un verre. Je serai en bas dans cinq minutes. Notre petite fête permanente ne tient pas compte de l'heure, sauf quand ce sera ma dernière, d'heure. Dis à August de venir, veux-tu? Il doit être... près de la cuisine. »

Simon vit que Chris s'agitait sous les couvertures, essayant peut-être de se lever, mais il ne put ouvrir la bouche pour lui offrir son aide.

« Tout de suite, Chris! »

Quelques minutes plus tard, il se tenait le dos à la cheminée, un verre de scotch à la main, encadré par Richard et par Peter. Ils parlaient de ce

qui semblait à Simon des petits riens, mais chacun avait un minimum d'informations sur la carrière des autres et savait que Peter avait travaillé
un an ou deux à Hollywood, que Richard avait,
non sans difficulté, étant américain, pu jouer
dans une comédie musicale à Londres deux ans
auparavant... Peter, qui avait dans les quarante-
cinq ans, dansait et chantait depuis sa jeunesse et
avait arrêté tout récemment.

Simon se rendait compte qu'il occupait une
place d'honneur dans la demeure, sans doute
parce qu'il était le plus âgé et avait dû connaître
Chris avant les autres.

Le téléphone sonnait, mais personne n'y prêtait
attention, puisqu'un domestique était là pour y
répondre.

Trois hommes — parmi lesquels Simon reconnut Jonathan Truman — essayaient de chanter en
chœur dans un angle du living-room. A cette
heure-là, ils avaient l'air mal rasé et leur visage
était chiffonné. Simon jeta un coup d'œil à sa
montre : il était presque une heure du matin,
heure locale, et vingt heures à New York. Sa doublure, Russell Johnson, devait se trouver dans sa
loge et se grimer devant le miroir, pour se vieillir,
non pour se rajeunir. Peut-être murmurait-il nerveusement quelques lignes du texte. Simon vida
son verre.

Il reçut une bourrade dans le dos.

« Chris est là !

— Chris arrive ! » criait Freddy Detweiler.

Il se tenait au bas de l'escalier, les bras grands
ouverts en signe d'accueil.

Marcus et August faisaient descendre avec pré-
caution l'escalier au fauteuil roulant de Chris.
August, un homme aux cheveux blonds que
Simon avait de fait découvert dans la cuisine,

s'arc-boutait en arrière tel un mât fragile luttant contre la tempête.

« *Chris!* » Un cri de bienvenue et des applaudissements s'élevèrent, mais ils semblèrent pitoyables à Simon, comme lorsque le public est peu nombreux. Il n'y participa pas. Il regardait, stupéfait, la lourde silhouette vêtue d'une robe de chambre à rayures bleues et blanches, les mains aux longs doigts qui agrippaient les bras du fauteuil, le sourire rose et blanc figé sur les lèvres closes. Quand il eut mené sa charge à bon port, August alla servir le champagne, tandis que plusieurs silhouettes s'empressaient autour de Chris, semblables à un vol d'abeilles.

« Chris, que souhaites-tu ? Que Carl se mette au piano ? Que je fasse le poirier ? A moins que tu ne préfères mon imitation du touriste anglais qui arrive en Ouganda ? »

La question venait de Freddy. Avec ses quarante-cinq ans bien sonnés, pouvait-il vraiment se tenir sur les mains ? Mais Chris, dont les yeux bleus parcouraient à son habitude l'assistance, ne notant que l'essentiel, semblait ne rien avoir entendu.

« Quelle musique pour cette nuit, Chris ?

— De la musique indienne », répondit Chris d'un air absent, tel un homme drogué ou qui parlerait dans son sommeil, puis il annonça : « *Simon* est là », comme si les autres l'ignoraient.

Par chance, seuls un ou deux visages souriants prirent la peine de se tourner vers Simon, qui regarda ailleurs. Il ferma les yeux avec force. Il n'était pas à nouveau près des larmes, et pourtant cela y ressemblait. Il se souvint du plaisir mêlé de terreur qu'il avait éprouvé à vingt ans en rencontrant Chris Well. Peut-être que certains, parmi les hôtes de Chris, l'avaient également rencontré à cet âge ou à peu près. Autrement, pourquoi seraient-ils là? Freddy participait à un spectacle à Londres, par exemple, mais il était venu. « Irez-vous à New York? Pourrai-je vous y revoir? » avait interrogé Chris ce premier soir à Stock-bridge, dans les coulisses. A cette époque, Simon voyageait en bus ou en stop, transportant toutes ses richesses dans un sac à dos. Il y avait de cela vingt-neuf ans et Chris Well en avait alors soixante-cinq! Simon avait-il alors pensé un instant à son âge? Non. C'était stupéfiant. « Vous serez à mon école pendant quelques semaines », avait dit Chris, entendant par là que Simon irait habiter chez lui, Park Avenue. Dans le souvenir de Simon, l'immense appartement, avec ses six grandes pièces au moins, prenait d'énormes proportions, comme s'il avait été alors un petit garçon. Fais ci, ne fais pas ça, disait Chris dix fois par jour, et, malgré les déjeuners et les dîners auxquels il devait se rendre à Manhattan — accompagné parfois par Simon — il lui donnait toujours à apprendre quelques lignes de Shakespeare, Pirandello, Bernard Shaw ou Eugène O'Neill. Simon n'avait pas à les retenir par cœur, mais il devait pouvoir les lire et Chris lui donnait la réplique. Chris lui montra comment se lever élégamment d'une chaise et corrigea sa diction avec délicatesse (Simon avait l'accent de l'Idaho). De plus, il avait payé toutes les notes : ne tenait-il pas Simon à l'écart d'un éventuel travail, pendant ce temps? Et lorsque Simon était tombé étrangement amoureux de Chris, Chris en avait été conscient et Simon l'avait su. Simon n'était pas homosexuel. Il aurait bien été incapable d'imaginer, du moins à l'époque, ce que deux hommes pouvaient faire ensemble dans un lit. Mais ce qu'il avait ressenti à l'égard de Chris n'était pas une simple question de lit. Cela ressemblait plus à l'admiration que l'on éprouve pour un héros, à de la dévotion, à une confiance absolue. « Ton travail a plus d'importance que moi, que n'importe qui d'autre, avait dit Chris un jour. Les gens, ça va, ça vient. » Faisait-il allusion à des filles ? A des amis ? Même ce conseil avait été entendu. Simon avait eu au moins quatre liaisons, dont deux importantes à ses yeux, car elles l'avaient rendu heureux et leur fin lui avait fait mal. Mais il ne s'était jamais marié et il prenait conscience à présent que, *sans l'avoir vraiment voulu*, il avait suivi le conseil de Chris : conserve ton indépendance, ton travail compte plus que les relations personnelles.

Le verre qu'il avait bu faisait effet, ainsi que l'atmosphère et l'idée qu'à cette heure Russ Johnson se trouvait sur la scène à New York et incarnait William. Il y avait de la musique; dans une petite grotte du jardin à laquelle menaient quelques marches illuminées, un buffet était disposé sur une table. Cela évoqua à Simon un déjeuner qui avait eu lieu en été, la fois où il était venu à High-Ho. August faisait griller une pièce de bœuf sur un feu et quelques silhouettes l'entouraient pour se réchauffer. Les voix pleines de gaieté portaient jusqu'au rideau noir des sapins; tous parlaient de leurs précédentes visites, racontaient de vieilles anecdotes. Chris se tenait parmi eux, dans son fauteuil. Combien de temps lui reste-t-il à vivre, se demandait Simon.

Il regarda les visages autour de lui. A qui oserait-il poser cette question ? Qui lui donnerait une réponse franche ou même une franche opinion ? Quoi qu'il en soit, il était là, lui, le dernier disciple que Chris avait voulu auprès de lui. Le reste était l'affaire de Chris. Mourrait-il un sourire aux lèvres, comme maintenant, en levant une coupe de champagne? Il rejetait la tête en arrière pour rire à une remarque de Peter et Simon s'imagina qu'il voyait son ventre tressauter comme de la gelée sous le plaid de mohair qui le recouvrait jusqu'à la taille. La mort, la pourriture n'avaient en fait rien de drôle. Simon alla auprès du buffet chercher un peu de vin pour finir son repas. Il avait décidé de ne poser à personne la question sur le moment de la mort de Chris.

Il était bientôt trois heures du matin. Quatre invités au moins s'étaient éclipsés vers la maison. Detweiler était ivre.

« Un toast à Simon! s'écria Chris. L'un des plus brillants parmi mes enfants! Oh! vous êtes tous brillants! A Simon! »

« A Simon! » répondirent une demi-douzaine de voix et son prénom sembla atteindre les montagnes.

« Et à ceux qui jamais ne doutent », ajouta Chris.

Ils burent avec un petit rire.

Quelques instants après, Detweiler tenta de faire le poirier, s'effondra, se releva sous les rires tout en se frottant le bas du dos. Il ne s'était pas blessé. Il a du cran d'avoir essayé, pensa Simon, avec de la pierre et non de l'herbe tendre pour le recevoir.

Simon se tourna vers les marches qui descendaient et prit une profonde inspiration. Il lui fallait s'éloigner du spectacle de Chris entouré, oppressé, même, par ses anciens protégés. Quelque part devant lui, sur l'allée empierrée, une lumière électrique brillait. C'est alors qu'il se prit le pied dans l'angle d'une pierre et perdit l'équilibre. Il ne marchait pas vite, mais il allait se recevoir sur la tête et il s'aperçut qu'il n'avait pas lancé ses mains en avant pour se protéger. Il allait mourir. C'était là le grand plongeon, semblable à un rêve, finalement, indolore mais définitif.

Quand il se réveilla, un murmure de voix semblable au bruit des vagues l'entourait. Il cligna des paupières et reconnut les visages qui se penchaient vers lui. Il sentait l'odeur de fumée de la cheminée de Chris. On l'avait allongé sur l'un des grands canapés de cuir du living-room.

« Il revient à lui, tout va bien ! »

« Tant mieux, tant mieux ! »

La voix de Chris, fatiguée et soulagée, lui parvenait.

Quelqu'un se mit à rire.

« Simon, tu as pris une belle bûche. On a entendu le bruit... »

« Et pourtant, tu n'as pas saigné; pas une égratignure ! »

« Bois une gorgée de thé chaud ! »

« Je vais me coucher... »

Simon se leva, et, dans une sorte de brouillard, dit au revoir à Chris, puis monta à sa chambre, épuisé avant même d'avoir enfilé son pyjama. Il se sentait encore plus bizarre qu'à son arrivée — pas ivre, quoiqu'il dût l'être un peu — mais il lui semblait avoir quitté ce monde pour un autre. Il se pinça fortement l'avant-bras. Cela lui fit mal.

Il se jeta sur son lit et s'endormit aussitôt.

Il fit un rêve très vivace. Il avait seize ans et se trouvait à bicyclette, chargé de provisions qu'il devait rapporter à la maison. La route lui était familière — ici, c'était un chemin de terre battue qui serpentait, mais dans son enfance les rues étaient pavées. Pourtant, il se perdait sans cesse. Et de quelque part au-dessus de lui, la voix de Chris, telle celle de Dieu, lui parvenait :

« Allons, Simon! A *gauche*! Tu connais le chemin. Qu'est-ce qu'il t'arrive? »

Simon était incapable de rentrer chez lui. Il s'éveilla.

Quelle était la signification de ce rêve? Anxiété, insécurité... Chris en personne avait été incapable de lui montrer la voie.

Simon était allongé sur le dos dans la pénombre de sa chambre, jouissant du spectacle de l'aube naissante qui transformait en taches sombres le joli mobilier de Chris. Le veston qu'il avait suspendu au dossier d'une chaise évoquait une chauve-souris. La maison était silencieuse. Seul un chant d'oiseau — pas une alouette, apparemment — se fit entendre à une ou deux reprises.

Peut-être quelqu'un trouverait-il Chris mort dans son lit, ce matin. Ce serait peut-être August, entrant avec le thé sur un plateau. Simon se raidit, comme si on allait vraiment lui annoncer la nouvelle dans une heure ou deux.

Les autres ne pensaient-ils pas la même chose depuis son arrivée?

Simon se rendit à la salle de bain, prit sa douche, se rasa et revêtit un pantalon de flanelle, une chemise et un gros pull-over. La douleur de son crâne était un peu plus lancinante. Au cours de la nuit, elle l'avait réveillé, accompagnée d'une bosse tout à fait évocatrice de l'œuf classique. Il n'avait pas l'intention d'en parler, quoiqu'elle lui fît se redresser quelques cheveux sur la tête.

Simon sortit. Il refit le chemin de la veille au soir, dépassa la vieille table de pierre où étaient posés les mets, mais fut incapable de reconnaître l'endroit où il avait trébuché. Combien il aurait été étrange qu'il mourût quelques heures auparavant et que les autres eussent remonté un cadavre et non un corps inconscient... Simon jeta un coup d'œil en direction du chalet. Un petit bruit de métal heurté venait de la cuisine. Deux lumières douces brillaient derrière les rideaux.

Il monta les marches rapidement.

Detweiler se tenait dans le living-room, l'air fatigué mais vif, habillé de la même façon que Simon.

« Bonjour, Simon. Déjà debout !

— Bonjour. Comment va Chris ?

— Chris ? Toujours pareil, je suppose.

— Freddy... »

Simon hésita.

« Va-t-il vraiment mourir ? C'est-à-dire... Est-il réellement au bord ? Carl... l'affirmait, dans son télégramme.

— Oui. »

Freddy regarda Simon droit dans les yeux.

Detweiler était-il encore ivre ? Simon avança jusqu'à la cheminée où rougeoyaient encore quelques braises, puis se retourna :

« Hier soir... je n'ai pas eu l'occasion de demander quel était l'avis du médecin, et d'ailleurs, je n'en avais pas envie. Le connais-tu ?

— Au diable les médecins ! Ils sont stupéfaits de le voir encore en vie. C'est un lambeau de poumon qu'il a, comme on disait de Keats, à moins que Keats lui-même ne l'ait dit de lui. Le reste, c'est de l'eau. Mais pour Chris, le moment de sa mort, sa mort elle-même, cela se passe dans sa tête... Un scotch ne me ferait pas de mal, et toi ?

— Non, merci. »

Simon regarda Detweiler s'en verser deux doigts et ajouter du Perrier. Mais à présent que nous sommes tous ici...

A cet instant, August entra, portant un plateau.

« Bonjour, messieurs. Voici le petit déjeuner. »

Il disposa le thé et les toasts sur la table basse près de la cheminée.

« ... Eh bien ? » interrogea Detweiler.

Simon découvrit dans son regard énervé la même question qu'il se posait. Quand Chris allait-il décider de mourir ?

« Je veux dire, reprit-il en versant le thé, combien de temps penses-tu que cela va durer ? » Il tendit sa tasse à Detweiler. « Du sucre ?

— Aujourd'hui, demain... Qui peut savoir ?

— Tu vas rester... jusqu'à la fin ?

— Oui, affirma Detweiler avec la même force qu'auparavant, bien qu'il eût maintenant l'air écrasé de fatigue. Richard, lui, doit rentrer à Londres aujourd'hui, je crois. Cela fait trois jours qu'il est ici et moi... trois ou quatre. »

Simon, mal à l'aise, tenta de se réconforter en buvant son thé. Si Richard partait, il manquerait à nouveau quelqu'un à Chris. Et dans ce cas...

« Est-ce que... »

Detweiler l'interrompit avec une jovialité soudaine.

« Nous n'avons pas encore reçu nos cadeaux. Il nous offre de petits présents. Ou des gros, je n'en sais rien. Qu'allais-tu dire ?

— Eh bien... n'est-ce pas impossible d'imaginer la disparition de Chris ? Qu'il ne soit plus parmi nous... Oh ! ce n'est pas que je lui aie souvent écrit. Mais je savais qu'il était là. Je l'avais chaque année au téléphone aux environs de Noël. D'une façon ou d'une autre, nous découvrions toujours où chacun de nous deux se trouvait.

— Qu'essaies-tu de dire ? »

Simon fronça les sourcils et jeta un coup d'œil au feu, qu'August avait alimenté.

« Je crois que je pose la question : Chris va-t-il mourir ou non ?

« — Serais-tu pressé ? »

Detweiler avait un petit sourire aux lèvres. Il sirota son scotch.

Simon savait que Detweiler espérait une réaction brutale, mais il n'était pas en colère.

« J'aime Chris et tout cela me bouleverse. Je n'ignore pas non plus qu'il va mourir. Aussi, je suis désolé de t'avoir posé la question.

— Tu peux l'être. »

Detweiler tendit de nouveau la main vers la bouteille.

Le téléphone sonna dans la pièce.

« Est-ce qu'un domestique va répondre ? » interrogea Simon, puis, devant l'indifférence de Detweiler, il décrocha le combiné.

« Allô ?

— Simon, c'est *toi* ? » C'était la voix de Stew Davis, le metteur en scène de *William.* « J'ai de la chance. Je sais qu'il est de bonne heure, mais je voulais te dire : tout va bien. Russ a été formidable hier soir. Il y a même un article sur lui dans le *Times* de ce matin. Il s'est bien débrouillé ou quelqu'un l'a fait pour lui. Il est fou de joie. J'ai l'impression qu'il croit être devenu Laurence Olivier en l'espace d'une soirée.

— J'en suis enchanté, Stew. C'est un soulagement pour moi. »

Il était en effet content pour la pièce et pour Russel Johnson, un jeune acteur sérieux et amoureux de son métier. Jeune, oui... Il n'avait pas trente ans et William pas quarante, ce qui lui permettait de l'incarner sans problème. William n'était pas censé frôler la cinquantaine, comme Simon Hatton.

« Quand rentres-tu ? Y a-t-il du nouveau ?

— Impossible de le dire, Stew. Peut-être dans deux, trois jours. Tant que tout ira bien ici... Dis à

216

Russ que je suis ravi pour lui, veux-tu? Il est auprès de toi? »

Stew se mit à rire.

« Il doit dormir, s'il a pu trouver le sommeil. Mais je le lui dirai, promis. »

La conversation terminée, Simon se tourna vers Detweiler, qui buvait à présent son thé.

« Ma doublure a fait un tabac hier soir. Il s'appelle Russell Johnson. Tu entendras sans doute bientôt parler de lui.

— Mais tu vas reprendre le rôle...

— Oh!... bien sûr, à mon retour à New York... Je... »

August rentra dans la pièce, svelte, discret, et fit un petit salut.

« Excusez-moi, messieurs. M. Wells est réveillé. Il aimerait vous voir... ainsi que tous ceux qui sont levés », ajouta-t-il en jetant un coup d'œil aux fenêtres, comme s'il s'attendait à découvrir une silhouette ou deux dans le jardin.

« Je n'ai encore vu personne, dit Detweiler, immédiatement attentif. Allons-y, Simon. »

Il y avait quelque chose d'inhabituel dans son attitude et dans celle d'August. Simon les suivit dans l'escalier. La porte de la chambre de Chris était ouverte. On y entendait résonner des voix. August frappa.

Chris était appuyé à ses oreillers. Il tourna vers eux son corps lourd.

« Ah! Simon... et Freddy. Soyez les bienvenus. J'étais si heureux de vous avoir tous auprès de moi que je n'ai pas fermé l'œil. C'est bizarre, ne pensez-vous pas, dans mon...

— Chris, ne t'agite pas », dit Richard Cook.

Il était vêtu d'un pyjama et d'une robe de chambre qui laissait deviner sa bedaine. Carl Parker, également en pyjama, se tenait au pied du lit.

« Bien sûr, nous sommes tous là. Chacun n'est peut-être pas encore debout, mais...

— Mais la distribution des cadeaux peut commencer. Comme à Noël, lorsque nous étions enfants et que nous nous levions pour voir ce qui nous attendait devant le sapin... Au grand dam de nos parents, mais cela ne me gêne pas, moi! August... »

Chris chercha August du regard. Ses yeux roulaient dans ses orbites. Pendant quelques instants, il ne découvrit pas le domestique, qui se trouvait pourtant dans son champ de vision.

« August, va... Non, du champagne d'abord; ensuite, tu sais. Demande à Marcus de t'aider.

— Bien, monsieur. »

August se hâta de sortir.

Chris n'allait pas passer la journée, pensa Simon. Il vit Richard Cook saisir d'une main experte le ballon d'oxygène au pied du lit et le donner à Chris, qui plaqua sur son nez et sur sa bouche le masque de caoutchouc gris dont l'aspect évoquait la mort. Les yeux de Chris exprimaient une peur enfantine; leur regard flottait et on y lisait la crainte d'un homme habitué à la vie depuis longtemps et terrifié de la quitter.

Simon se retrouva avec une coupe de champagne dans une main et un paquet enveloppé de papier blanc dans l'autre. Quelqu'un lui dit de s'asseoir. Il obéit. Trois ou quatre nouveaux arrivants s'installaient. Tous tenaient une coupe de champagne; ils défaisaient leur paquet, bavardaient, riaient.

« Jonathan n'est pas encore levé. C'est bien de lui », remarqua Chris.

Le cadeau de Chris à Simon, c'était son étui à cigarettes en argent. Il pouvait contenir six cigarettes, Simon se le rappelait, et il l'avait beaucoup admiré lors de leur premier dîner ensemble. Un serpent se lovait contre la fermeture, sa tête aux minuscules yeux d'émeraude dressée, doux au toucher et pourtant évocateur de danger. Les doigts de Chris, au fil des années, avaient arrondi les angles de l'étui.

« Merci, Chris », dit Simon en regardant vers le lit, mais à ce moment, Detweiler se penchait vers Chris et embrassait sa joue juste au-dessous de l'horrible masque. Detweiler tenait une montre-bracelet dans sa main gauche.

Richard considérait une chaîne en or avec un médaillon.

August se mit à faire des signes discrets mais angoissés. Ils devaient partir. M. Wells avait besoin de repos.

Chris, pourtant, n'était pas de cet avis. Il ôta son masque, réclama plus de champagne, et du café et du thé et des toasts.

« Nous ne sommes pas encore au complet ! »

Chris toussa.

« Où sont mes cigares, August ? »

August s'agenouilla, prit un coffret au bas de la table de nuit.

Simon s'éclipsa. Dans sa chambre, il posa l'étui à cigarettes, le papier et la carte sur laquelle était écrit, de la main de Chris : « Ce petit serpent avisé en a vu beaucoup. Essaie de lui montrer quelque chose de nouveau. Affectueusement. Chris. »

Simon se rendit à la salle de bain, s'aspergea le visage d'eau froide, s'essuya avec une serviette qui ne devait pas être la sienne et se jura de ne pas boire une goutte d'alcool de la journée, pas même un verre de vin. Il se sentait toujours dans un état bizarre, qui n'avait rien à voir avec le décalage horaire ou le manque de sommeil. On frappa doucement à la porte.

« Un instant », dit Simon d'une voix faussement enjouée.

Il ouvrit la porte à un Jonathan ensommeillé, pieds nus, en pyjama.

« Tu as l'air en forme, dit Jonathan.

— Vraiment ? Va prendre une douche et file voir Chris. La fête bat déjà son plein.

— A huit heures du ma-matin ! gémit Jonathan. Pourrai-je — pourrons-nous — en endurer encore beaucoup ?

— Beaucoup. »

Simon lui ferma la porte au nez.

C'était faux. Allait-il continuer à faire ainsi semblant ? Continuer à simuler un enthousiasme qu'il n'éprouvait pas ? La veille au soir, Detweiler avait joué un rôle en tentant de tenir sur les mains, mais pas ce matin, lorsqu'il avait dit qu'il resterait jusqu'à la fin.

Simon se demanda s'il aurait la force d'affronter cette fin. C'était là tout le problème. En vérité, Simon craignait d'être réduit à néant avec la disparition de Chris. Il n'était rien quand il avait connu Chris, rien qu'un mauvais acteur (non, il ne l'ignorait pas) avec à peine un vague rêve en tête. Chris lui avait même procuré son rêve. Il l'avait rendu capable de le réaliser. Il lui avait présenté des gens capables de l'aider. Alors donc qu'était-il, en fait ? Un presque-quinquagénaire qu'un jeune de vingt-neuf ans remplaçait avec succès sur une scène new-yorkaise. Quelle utilité avait désormais Simon Hatton ? *Je ferais mieux de mourir avant Chris.* Les mots et l'idée lui étaient venus simultanément.

Il se sentit soudain effrayé, mais décidé. Y en avait-il un, parmi les autres, à ressentir la même chose ? Pas Richard, en tout cas, avec sa femme et ses deux gosses. Ni même Detweiler, sans doute, car c'était un réaliste. Jonathan ? Avec ses yeux écarquillés, il semblait le plus fragile du lot. Mais pourquoi signer un pacte avec Jonathan ? Simon n'avait nul besoin de qui que ce soit.

Son regard glissa sur la forêt de sapins qu'il apercevait par la fenêtre, au-delà de la pelouse, et s'arrêta sur le secrétaire du XVIe siècle, au bois entaillé soigneusement ciré. Il y avait là un coupe-papier de cuivre légèrement incurvé comme un cimeterre, avec une pierre rouge dans le manche. Se tuer avec ça ? Ridicule. Pourtant, le coupe-papier le fascinait par sa beauté. Simon s'aperçut qu'il l'avait acheté à Gibraltar, des décennies auparavant, et l'avait offert à Chris. Il avait alors vingt ans. Il était souple, agile ; il avait couru par les rues étroites, levé plus tôt que Chris, comme d'habitude, et l'avait acheté dans une petite boutique puis rapporté, enveloppé de papier Kraft, dans la chambre d'hôtel où Chris dormait toujours. On était bientôt en juin et son anniversaire approchait.

Simon se secoua. Il prit le coupe-papier, passa son pouce au long de la lame comme s'il s'agissait d'un couteau et le reposa à sa place exacte.

Avant midi, il avait fait le tour de la propriété à la recherche d'un endroit adéquat, d'une gorge assez profonde pour s'y jeter. Mais quelle histoire, son cadavre sur le domaine, peut-être découvert par des chiens policiers... Mieux valait plonger dans la Limmat à Zurich ou avaler des somnifères dans un hôtel en laissant de l'argent pour les formalités.

Un déjeuner de viandes froides et de salades était servi dans la chambre de Chris, qui était assez grande pour les recevoir tous. August avait tiré les rideaux des deux grandes fenêtres et le soleil pénétrait à flots (Chris avait fait abattre quarante sapins pour obtenir en hiver ces rayons obliques).

« Voilà pour moi la béatitude », annonça Chris, en adressant un sourire à ses douze disciples. Il tenait dans la main droite une coupe de champagne en grand danger d'être renversée et dans la gauche un fume-cigarette noir et or.

Simon le regarda, puis détourna les yeux. Il avait accepté un verre de vin pour ne pas se faire remarquer, mais il y touchait à peine. Il s'approcha de Jonathan et lui murmura :

« Veux-tu mourir, toi aussi ? »

Jonathan enfourna une bouchée de saumon fumé.

« Non », répondit-il, apparemment amusé.

Detweiler avait l'air plus réveillé que le matin; il semblait même être un autre homme. Carl Parker se tenait à ses côtés.

« Où est ton assiette, Simon ? demanda le premier. As-tu goûté la salade de pommes de terre ? Elle est divine. »

Carl regarda le crâne de Simon, là où les cheveux se redressaient.

« Comment va ta tête ? Tu as reçu un sacré choc, hier soir. Est-ce que tu te sens vraiment bien ?

— Oui, merci. Ai-je l'air bizarre ? Dis-moi, est-ce que Freddy t'a raconté que ma doublure avait eu un succès formidable ? J'ai eu un coup de fil, ce matin.

— Non. Eh bien, je suppose que cela te tranquillise, répondit Carl. L'as-tu raconté à Chris ?

— Non... pas encore. »

Chris, dans son lit, était encadré par Jonathan et par Richard, qui lui coupait quelque chose dans son assiette posée sur un plateau. Cela ne l'intéressait nullement, pensa Simon. C'était une nouvelle qui n'avait rien de bien positif à l'égard de Simon.

Carl fouillait dans son portefeuille à la recherche d'une carte de visite.

« Simon, il faut que tu viennes nous voir, puisque tu es à New York. Nous, c'est-à-dire Jennifer, ma fiancée, et moi, ajouta-t-il en souriant comme s'il s'attendait à ce que Simon ne le croie pas. Ça, c'est notre adresse à Los Angeles, mais je vais inscrire notre numéro de téléphone actuel au dos. Nous avons loué une maison pour un an à New Canaan. »

Simon le remercia et glissa la carte dans sa poche. Le bruit des voix rendait toute conversation difficile.

« Penses-tu... Comment trouves-tu Chris aujourd'hui ? Tu es là depuis plus longtemps que moi. »

Carl regarda Simon. Il semblait ne pas avoir compris. Ou bien peut-être comprenait-il que Simon avait hâte de partir. Pour être plus clair, Simon ajouta :

« On m'a dit que Richard nous quittait aujourd'hui.

— Ce soir, peut-être. Es-tu pressé ?

— Evidemment *non*. »

Simon se rendait douloureusement compte que Carl l'avait, de fait, mal compris.

« C'est juste que j'ignore quelle mine a Chris d'habitude, si c'est un jour comme les autres ou...

— On ne peut jamais dire, avec Chris. »

Carl arborait un sourire serein, indulgent, comme s'il avait tout son temps, pire, comme si cela n'avait aucune importance que Chris mourût aujourd'hui, demain ou la semaine prochaine. Son regard était empli de confiance, de bonheur même, car sa vie continuerait sur ses rails, avec Jennifer, avec son travail.

Detweiler non plus n'avait pas compris. Il examinait Simon avec détachement, presque avec défi. On aurait cru que Simon avait manqué de respect à Chris. Bien plus réconfortant était le rire profond de Richard qui venait de la direction du lit, quoiqu'il sonnât à moitié faux.

Personne n'aime Chris comme moi, pensa Simon. Il se sentait amer, malheureux.

« A tout à l'heure », dit-il en arborant une expression aimable, et il se rendit auprès de Chris.

Sur le visage de Chris, les plages blanches paraissaient plus blanches encore et une légère coloration bleue était apparue sur ses lèvres, à moins que Simon ne l'imaginât. Sa respiration était audible. Ses yeux bleus encore alertes, où se lisait l'effort, étaient noyés d'eau ou de larmes entre les paupières rougies. Il tendit une main inhabituellement potelée à Simon, qui lui prit deux doigts et constata qu'il tenait déjà une autre cigarette.

« Chris, j'adore cet étui à cigarettes. Il m'a toujours plu, tu le sais; c'est le cadeau idéal pour moi. Merci.

— Simon, que t'arrive-t-il? Tu n'es pas dans ton état normal? »

La voix de Chris craquait comme un vieux meuble ou des vieux os.

« Absolument *rien* », répondit Simon avec un sourire.

Quelques instants plus tard, il avait quitté la pièce. Chris réclamait de la musique, vérifiait s'il restait suffisamment de champagne.

Simon dégringola les marches du jardin. N'y avait-il pas là, à droite, une petite gorge avec une chute d'eau? Il chercha à travers les arbres et le sous-bois, la découvrit enfin. Mais qu'elle était minuscule ! Un peu plus de deux mètres... A peine de quoi sauter et s'écraser sur les rochers. Et il y avait juste assez d'eau pour noyer un chat ou un bébé. Enfin, s'il se fracassait le crâne, cela suffirait. Simon se frotta les mains, prit une profonde inspiration, s'aperçut qu'il souriait. Il était heureux, d'un bonheur paisible, important. Ce moment avait du rythme, un tempo qu'il ne fallait ni ralentir ni accélérer. Il jeta un regard à ses pieds. Un peu d'herbe poussait sur le sol de pierre : rien pour le faire trébucher ou entraver son élan. Il se prépara à courir.

Un craquement venu d'en haut l'arrêta.

« Simon ? Eh, Simon, nous t'attendons ! »

Carl Parker dévalait la pente dans sa direction.

« Ne peut-on pas me laisser seul ?

— Que veux-tu dire ? Freddy, Simon est ici !

— J'arrive », fit la voix, toute proche, de Detweiler.

Le bras de Carl vint soudain enserrer l'épaule de Simon. « Reviens », dit Carl d'un ton grave en le poussant vers le chalet.

De toutes ses forces, Simon repoussa Carl. Il vit Detweiler approcher et courut vers la petite gorge, Carl sur ses talons. La main de Carl saisit son bras, glissa, puis empoigna sa main gauche, le forçant à virevolter.

« Qu'est-ce que... »

Simon le fit taire d'un coup de poing au visage. A présent, il lui fallait s'occuper de Freddy, qui tentait de lui immobiliser les bras. Il donna — en vain — un coup de genou, libéra son bras droit et atteignit le menton de Freddy. Puis il s'élança.

Il sentit une douleur aiguë, prolongée, lui traverser la tête et les côtes.

Ce dont il eut ensuite conscience, c'est d'un son. Il crut entendre un chœur, sans reconnaître pour autant l'air. Simon savait qu'il venait de traverser une crise. Quelle sorte de crise ? La mort. Il était mort. Il se souvint vaguement qu'il avait souhaité mourir. Où ? Aucune importance. Ainsi, après la mort, une conscience persistait, ni agréable ni désagréable, et à présent tout à fait brumeuse, mais elle se ferait claire s'il s'y efforçait. Des voix humaines. Que parlaient-elles ? Peut-être un langage étranger qu'il devrait apprendre. Il s'imagina que ses yeux voyaient quelque chose, une couleur grise avec un peu de rose.

« Eh bien, Simon... »

« Simon... », fit une autre voix.

« La *deuxième* fois... »

Il ne pouvait remuer les bras. Ses pieds refusaient également de bouger et ses genoux de se plier. Il devait être allongé sur le dos. Les ombres se changèrent en silhouettes humaines. Une voix murmura en allemand. Un homme mince, avec une moustache noire et une chemise blanche, se pencha sur lui, planta une aiguille dans sa cuisse ou sa hanche gauche, mais Simon ne sentit rien. Il était à nouveau dans la maison de Chris. Ou bien était-ce un autre monde qui ressemblait à la maison de Chris ?

« Tout va bien, Simon. »

Carl se penchait à son tour vers lui.

Simon s'aperçut qu'on l'avait encore allongé sur le grand canapé de cuir, comme l'autre fois.

« Et Chris ? »

Le murmure des voix atteignit un crescendo, puis mourut.

« Continue ! », dit quelqu'un, d'un ton légèrement impatient.

« Chris est mort vers une heure. Calmement... Il... »

Carl murmurait presque.

« Maintenant, il est près de minuit. Tu dois rester sans bouger pendant un moment, Simon. Le docteur a interdit de te déplacer ce soir. »

« Pou... »

Simon avait de plus en plus sommeil. Il tenta en vain de prononcer le mot « pourquoi ».

« Dis-lui ! »

C'était la voix de Detweiler.

« Tu as les deux bras fracturés, Simon, quelques côtes fêlées, sans aucun doute, et une cheville très enflée. A présent, tu comprends pourquoi tu ne dois pas bouger ? »

Cette fois, c'était Jonathan, qui parlait avec douceur. Il recula et devint une ombre qui se fondit parmi les autres.

Quand Simon se réveilla, tout était différent. L'aube filtrait entre les lourds rideaux entrouverts. Et Detweiler — oui, c'était bien lui — était allongé sur un canapé similaire à celui sur lequel gisait Simon. La lumière d'un lampadaire l'éclairait. Il était en pyjama et en robe de chambre et s'était endormi sur son livre.

Chris était mort, se remémora Simon. Son corps avait probablement été enlevé du chalet. Ils étaient seuls, Detweiler, Jonathan, Carl et les autres qui n'étaient pas encore partis. Et Simon n'était pas en état de bouger, lui non plus, tel un mort également. Il avala bruyamment sa salive, mais Detweiler continua de dormir. Il allait vivre. Il était un peu cassé ici et là et il le resterait, même si les os se ressoudaient.

L'existence sans Chris : c'était un fait, désormais. Simon devait se considérer différemment, maintenant, non pas comme un homme né pour la deuxième fois — à son âge... — mais comme un homme mort et revenu à la vie. Cela, il l'avait fait. Vraiment. Accepter ses cinquante ans. Oui. Et laisser le rôle de William à Russel Johnson. Le lui dire aujourd'hui même. Ensuite, continuer dans la tradition de Chris. Chris n'aurait pas aimé le voir abattu. Il n'aurait pas aimé le voir tenter de se suicider — au moment même, en fait, où Chris mourait. Chris aurait dit : « Absurde, Simon. Pour moi ? Je n'ai pas une telle importance. Ce qui importe, c'est la suite de ta vie. »

Simon eut un petit rire. La douleur lui enserra les côtes, mais il continua à sourire.

« Réveillé ? interrogea Detweiler, tandis que son livre tombait sur le sol avec un bruit mat. As-tu besoin de quelque chose, Simon ? Eh ! tu as l'air en bien meilleure forme ! »

Simon s'efforça de lever la tête et de prendre appui sur ses bras alourdis de gouttières et de bandages.

« Pas de ça ! »

Detweiler se précipita vers lui.

« Je veux marcher ! Je peux marcher ! »

Simon aurait parié qu'il le pouvait.

« Pas aujourd'hui. Tu as besoin d'aller aux toilettes ?

— Où sont les autres ?

— Ils dorment, c'est sûr ! »

Un sourire fendit le visage de Detweiler. Il ne s'était toujours pas rasé.

« Jonathan est parti. Carl nous quitte à dix heures ce matin. Je peux rester encore un jour ou deux, le temps que tu puisses prendre l'avion. Il reste encore ici une petite poignée d'entre nous. »

N'était-il pas le plus vieux, maintenant ? pensa Simon. Très vraisemblablement. Carl Parker avait sans doute trois ans de moins.

« Chris t'a laissé la maison, dit Detweiler. Tu le savais ? »

EPOUX EN FROID

Titre original de la nouvelle
HOME BODIES

L'INCIDENT du garage était le troisième du genre; il aurait pu tourner à la catastrophe et un doute horrible s'insinua dans l'esprit de Loren Amory : son Olivia bien-aimée voulait se tuer.

Loren avait tiré sur une corde à linge en plastique qui pendait d'une étagère fixée en hauteur dans le garage — il voulait faire un peu de rangement et enrouler correctement la corde. Or cette simple secousse avait déclenché une avalanche de valises vides et pleines, suivies dans leur chute par une vieille tondeuse à gazon et une machine à coudre d'un poids invraisemblable, qui s'étaient écrasées à l'endroit précis où il se trouvait avant d'avoir le réflexe de faire un bond en arrière.

Il sortit lentement du garage et se dirigea vers la maison, son cœur battant à grands coups sous l'émotion de sa terrible découverte. Il entra par la cuisine et alla vers l'escalier. Olivia était dans son lit, appuyée contre les oreillers, une revue sur les genoux.

« Mon chéri, qu'est-ce qui a fait un bruit pareil ? »

Loren toussota pour s'éclaircir la voix, puis d'une main ferme, remit d'aplomb ses lunettes sur son nez.

« Des vieux trucs dans le garage. J'ai juste un peu tiré sur la corde à linge... »

Il expliqua ce qui s'était passé.

Olivia ne parut pas autrement émue; elle eut un mouvement de paupières qui semblait dire :

« Et alors ? Ce sont des choses qui arrivent.

— As-tu pris un objet dans la soupente ces jours-ci ?

— Non. Pourquoi ?

— Parce que... parce que tel que tout était disposé, la chute était inévitable, ma chérie.

— Tu as quelque chose à me reprocher ? demanda-t-elle d'une petite voix.

— Oui, ton absence d'attention. C'est moi qui ai rangé ces valises et je n'ai certainement pas pris le risque qu'elles tombent à la moindre secousse. De plus, je n'ai pas placé la machine à coudre sur le dessus de la pile. Personne n'aurait eu une idée pareille ! Je ne veux pas dire que...

— Tu me reproches de ne pas avoir fait attention », répéta-t-elle, blessée.

Il se jeta à genoux au bord du lit.

« Ma chérie, regardons les événements en face. Il y a eu le balai mécanique dans l'escalier de la cave la semaine dernière. Et puis l'échelle ! Tu allais monter dessus pour détruire le nid de guêpes ! Ce que je cherche à te faire comprendre, mon amour, c'est que tu veux, consciemment ou non, qu'il t'arrive quelque chose. Il faut réfléchir un peu, Olivia. Oh ! ma chérie, je t'en supplie, ne pleure pas. Je ne te critique pas, j'essaie simplement de t'aider.

— Je sais, Loren, tu es si bon. Mais la vie... ne me semble plus valoir la peine d'être vécue. Ce n'est pas que j'aie envie de mettre fin à mes jours, mais...

— Tu penses toujours à... Stephen ? »

Loren avait ce prénom en horreur et de le prononcer lui était déjà pénible.

Olivia ôta ses mains de ses yeux rougis.

« Tu m'as fait promettre de ne plus penser à lui et je t'ai obéi. Je te le jure, Loren.

— C'est bien, ma chérie. Je savais que je pouvais avoir confiance en toi. » Il prit ses mains dans les siennes. « Que dirais-tu d'une petite croisière ? En février peut-être ? Myers rentre bientôt de voyage et il peut me remplacer pendant une semaine ou deux. Haïti ou les Bermudes, ça te ferait plaisir ? »

Elle parut envisager cette éventualité un instant, mais secoua finalement la tête : elle savait bien qu'il faisait cela pour elle, et non parce qu'il en avait réellement envie. Loren essaya de la persuader du contraire, puis renonça. Quand Olivia ne se rangeait pas immédiatement à une idée, il était inutile d'insister. Il n'avait réussi qu'une seule fois à la convaincre : quand il lui avait expliqué qu'il valait mieux cesser de voir Stephen Castle pendant trois mois.

Olivia avait rencontré Stephen Castle à une soirée donnée par un confrère de Loren. C'était un acteur de trente-cinq ans — c'est-à-dire dix ans de moins que Loren et un an de plus qu'Olivia. Loren ne savait absolument pas où Toohey, leur hôte ce soir-là, avait bien pu le dénicher, ni pourquoi il lui avait dit de venir alors que tous les autres invités étaient banquiers ou agents de change. Quoi qu'il en soit, Stephen, tel un démon malin et étranger, faisait partie de l'assistance. Il n'avait pas quitté Olivia de la soirée, et elle avait répondu à ses avances avec ce sourire charmeur qui avait conquis de la même façon Loren en une soirée, huit ans plus tôt. Lorsqu'ils étaient rentrés à Old Greenwich, Olivia lui avait dit dans la voiture : « C'est si amusant de discuter avec quel-qu'un qui pour une fois ne s'occupe pas de valeurs boursières ! Il m'a dit qu'en ce moment, il répétait une pièce, *L'habitué de la maison.* Il fau-dra y aller. »

Ils n'y manquèrent pas. Stephen Castle fit une brève apparition, cinq minutes tout au plus, au premier acte. Ils lui rendirent visite dans sa loge et Olivia l'invita au cocktail qu'ils donnaient le week-end suivant. Il accepta, et passa même la nuit dans leur chambre d'amis. Pendant la période qui suivit, Olivia alla au moins deux fois par semaine faire des courses à New York, sans cacher qu'elle y rencontrait Stephen à l'heure du déjeuner et parfois en fin d'après-midi. Finale-ment, elle déclara à Loren qu'elle aimait Stephen et qu'elle voulait divorcer.

D'abord sans voix, presque disposé à lui accor-der ce qu'elle souhaitait par esprit sportif, Loren, quarante-huit heures après cet aveu, revint à ce qu'il jugeait être une vision plus juste de la ques-tion. Il avait eu le temps de jauger son rival et de peser leurs chances respectives, non seulement sur le plan physique (dans ce domaine, la compa-raison n'avantageait pas Loren : il n'était guère plus grand qu'Olivia, son front commençait à se dégarnir et il avait un peu de ventre), mais aussi sur le plan moral et financier. Là, il distançait sans peine Stephen Castle, comme il le fit remar-quer en toute modestie à Olivia.

« Jamais je n'épouserais un homme pour son argent, répliqua-t-elle.

— Je ne dis pas que tu m'as épousé pour mon argent, ma chérie, mais il s'est trouvé que j'en avais. Or à quoi ressemble l'avenir de Stephen Castle ? A rien de très prometteur, si j'en juge par son talent de comédien. Tu es habituée à plus

234

qu'il ne peut te donner. Et il y a seulement six semaines que tu l'as rencontré. Comment peux-tu être sûre qu'il t'offre un amour durable ? »

Cette dernière considération fit réfléchir Olivia. Elle déclara qu'elle voulait revoir Stephen encore une fois, « pour discuter ». Elle prit sa voiture un matin, alla à New York et ne rentra qu'à minuit. C'était un dimanche, jour de relâche pour Stephen. A son retour, Olivia, en larmes, dit à Loren que Stephen et elle étaient parvenus à un accord : ils ne se verraient pas pendant un mois et si, à l'issue de cette période, leurs sentiments s'étaient modifiés, il était entendu qu'ils essaieraient l'un comme l'autre d'oublier toute cette histoire.

« Il est évident que vos sentiments n'auront pas changé, dit Loren. Qu'est-ce qu'un mois dans la vie d'un adulte ? Trois mois, je ne dis pas... »

Elle le regarda à travers ses larmes.

« Trois mois ?

— Par rapport à huit ans de mariage. N'est-ce pas plus honnête ? Notre union mérite elle aussi qu'on lui donne sa chance, tu ne crois pas ?

— Eh bien, d'accord. Trois mois. J'appellerai Stephen demain pour le mettre au courant. Pendant trois mois, nous arrêterons de nous voir et de nous téléphoner. »

A dater de ce jour, Olivia dépérit. Elle cessa de s'intéresser à son jardin, à son club de bridge et même à ses vêtements. Son appétit déclina, sans qu'elle perdît vraiment du poids, peut-être en raison de son inactivité. Ils n'avaient jamais eu d'employée. Olivia était fière d'avoir travaillé avant son mariage; elle était vendeuse au rayon cadeaux d'un grand magasin de Brooklyn quand Loren l'avait rencontrée. Elle se plaisait à dire qu'elle savait se débrouiller seule. La grande maison d'Old Greenwich avait de quoi occuper une femme, bien que Loren eût acheté tous les appareils et gadgets capables de simplifier les tâches ménagères. Ils avaient aussi un vaste congélateur à la cave, de la taille d'une grande armoire, si bien qu'Olivia ne faisait que rarement le marché; d'ailleurs, un camion venait livrer à domicile. Voyant le manque d'énergie d'Olivia, Loren lui proposa de prendre une bonne, mais elle refusa.

Sept semaines s'étaient écoulées. Olivia, fidèle à sa promesse, n'avait pas revu Stephen. Mais elle était de toute évidence si déprimée, si prête à fondre en larmes, que Loren se sentait à deux doigts de faiblir et de lui dire que, puisqu'elle aimait tant Stephen, elle avait le droit de le voir. Peut-être, pensait-il, que Stephen Castle était dans le même état et comptait les jours qui le séparaient du moment où il reverrait Olivia. Dans ce cas, Loren avait déjà perdu la partie. Pourtant, il avait du mal à croire Stephen capable d'éprouver un sentiment quelconque. C'était un garçon grand et maigre, plutôt stupide, avec des cheveux filasse et un perpétuel sourire maladif au coin des lèvres. Il semblait être la réplique de son affiche et arborer en permanence l'expression qui lui paraissait la plus flatteuse.

Loren était resté célibataire jusqu'à trente-sept ans, âge auquel il avait épousé Olivia, et les femmes l'avaient toujours déconcerté par leur façon d'agir. Olivia, par exemple. Si lui-même avait été aussi amoureux d'une autre femme, il aurait immédiatement entrepris de se libérer des liens conjugaux. Mais Olivia restait passive; dans un sens, elle faisait traîner les choses. Pour arriver à quoi ? se demandait Loren. Croyait-elle, ou espérait-elle, que son engouement pour Stephen allait disparaître du jour au lendemain ? Voulait-elle blesser Loren et lui prouver le contraire ? Ou bien savait-elle inconsciemment que son amour pour Stephen Castle relevait de l'imagination et que sa dépression constituait en fait, pour Loren et pour elle, la période de deuil nécessaire à un amour qu'elle n'avait pas le courage d'assumer ?

Toutefois, l'incident du samedi, dans le garage, l'amenait à se poser des questions sur la passivité d'Olivia. Loren ne voulait pas admettre qu'elle essayait de se tuer, mais son esprit logique lui imposait cette évidence. Il avait lu quelque chose sur ce type de comportement. Certaines personnes attiraient les accidents, mais pouvaient très bien mourir de mort naturelle. Mais il y avait aussi celles qui faisaient preuve, inconsciemment, d'une attitude suicidaire; et c'est à cette catégorie qu'appartenait, selon lui, Olivia. L'épisode de l'échelle en était l'exemple le plus flagrant. Olivia se trouvait sur le quatrième ou cinquième barreau quand il avait remarqué la fente dans le montant gauche, et elle n'avait absolument pas réagi, même après qu'il le lui eut fait remarquer. Si elle n'avait pas dit qu'elle avait un peu le vertige en levant la tête vers le nid de guêpes, jamais il ne serait venu à l'idée de Loren d'effectuer ce travail et il n'aurait pas vu la fente.

Loren lut dans le journal que la pièce de Stephen allait être retirée de l'affiche et il eut l'impression que la phase dépressive d'Olivia s'accentuait. Elle avait maintenant de larges cernes sous les yeux. Il lui était impossible, disait-elle, de fermer l'œil avant l'aube.

« Téléphone-lui si tu en as envie, ma chérie, dit Loren. Revois-le et essaie de faire le point...

— Non, j'ai promis. Trois mois, Loren. Je tiendrai ma promesse », dit-elle, les lèvres tremblantes.

Loren se détourna, infiniment malheureux et se haïssant.

Olivia s'affaiblissait. Un jour, elle trébucha en descendant l'escalier et se retint de justesse à la rampe. Loren lui suggéra — ce n'était pas la première fois — de voir un médecin ou un psychiatre, mais elle refusa.

« Les trois mois sont presque écoulés, mon chéri. Je tiendrai jusqu'au bout », dit-elle avec un sourire triste.

C'était vrai. Il ne restait plus que deux semaines jusqu'au 15 mars, date de l'échéance. Les Ides de Mars, pensa Loren. Coïncidence plutôt sinistre.

Un dimanche après-midi, Loren était dans son bureau en train d'étudier des dossiers qu'il avait rapportés à la maison, quand il entendit un long cri, suivi d'un grand fracas. Il se leva d'un bond et se précipita vers la cave d'où, lui semblait-il, était venu le bruit; et si son oreille ne l'avait pas trompé, il savait ce qui venait de se produire. Ce maudit balai mécanique, une fois de plus !

« Olivia ? »

Un gémissement lui parvint de la cave obscure. Loren dévala les marches. Il y eut un petit « frrr » de roues, ses pieds battirent le vide devant lui et quelques secondes avant que sa tête ne vînt donner contre le sol en ciment, il comprit : c'était *lui* qu'Olivia voulait tuer, elle n'était pas tombée dans l'escalier de la cave mais l'avait simplement attiré là, et tout cela pour Stephen Castle.

« J'étais couchée, en train de lire », dit Olivia à la police, en ramenant de ses mains tremblantes sa robe de chambre sur elle. « J'ai entendu un bruit épouvantable et puis... et puis je suis descendue. »

Elle eut un geste d'impuissance vers le cadavre.

La police accepta sa version des faits et lui témoigna sa sympathie. Les gens devraient faire attention, lui dirent-ils, aux jouets qui traînent par terre ou aux balais rangés dans des escaliers mal éclairés. On voyait chaque jour des accidents de ce genre aux Etats-Unis. Puis on emporta le corps et, le mardi, Loren Amory était inhumé. Le mercredi, Olivia appela Stephen. Elle lui avait téléphoné chaque jour sauf le samedi et le dimanche, mais elle s'en était abstenue depuis le vendredi précédent. Ils avaient décidé que si elle ne l'appelait pas en semaine avant onze heures le matin chez lui, cela signifierait que tout était terminé. D'ailleurs, Loren Amory occupa toutes les colonnes nécrologiques du lundi. Il laissait près d'un million de dollars à sa veuve et possédait des maisons en Floride, dans le Connecticut et dans le Maine.

« Mon amour ! Tu sembles épuisée ! » furent les premiers mots de Stephen lorsqu'ils se rencontrèrent le mercredi dans un bar à New York.

« Mais non, c'est seulement le maquillage, répondit Olivia d'une voix gaie. Pour un acteur, tu devrais t'en rendre compte ! » Elle éclata de rire. « Il faut que j'aie l'air d'une veuve, aux yeux des voisins, tu comprends. Et je pourrais tomber sur quelqu'un que je connais à New York. »

Stephen jeta un coup d'œil inquiet autour de lui.

« Olivia, ma chérie, dit-il avec son sourire habituel, quand pourrons-nous enfin être ensemble ?

— Très bientôt, s'empressa-t-elle de répondre. Pas à la maison, bien sûr, mais tu te souviens que nous avions parlé d'une croisière ? Pourquoi pas

Trinidad ? J'ai apporté l'argent. Je veux que ce soit toi qui achètes les billets. »

Ils prirent des cabines séparées, et le journal local annonça sans l'ombre d'un soupçon à ses lecteurs que Mrs. Amory était partie en voyage pour raisons de santé.

Lorsqu'elle rentra aux Etats-Unis en avril, bronzée et, semblait-il, en bien meilleure forme, Olivia avoua à ses amis qu'elle avait rencontré quelqu'un « qui ne lui était pas indifférent ». Ceux-ci lui assurèrent que c'était tout à fait normal et qu'elle n'allait pas vivre seule pendant le restant de ses jours. Bizarrement, quand Olivia invita Stephen à un dîner qu'elle donnait chez elle, aucun de ses amis ne se souvenait de lui, bien que plusieurs l'eussent rencontré à ce fameux cocktail quelques mois plus tôt. Stephen avait pris de l'assurance et, pensa Olivia, il s'en tirait fort bien.

En août, ils étaient mariés. Pour ce qui était du théâtre, Stephen avait quelques vagues projets, mais rien ne se matérialisait. Olivia lui dit de ne pas s'en faire, cela se préciserait certainement après l'été. Stephen ne semblait pas trop inquiet, même s'il répétait qu'il devait absolument trouver du travail, quitte à accepter de petits rôles à la télévision. Il découvrit les joies du jardinage et planta quelques épicéas bleus; grâce à lui, l'endroit semblait revivre. Olivia était ravie de cet amour pour la maison qui rejoignait le sien. Ni l'un ni l'autre ne mentionna jamais l'escalier de la cave, mais ils firent poser un interrupteur en haut des marches pour éviter qu'un accident se reproduise. De même le balai mécanique resta-t-il rangé à sa place, dans le placard de la cuisine.

Olivia recevait plus souvent que du temps de Loren. Stephen avait beaucoup d'amis à New

York et Olivia les trouvait drôles. Mais il lui semblait que Stephen avait tendance à boire un peu trop. Un soir, alors que tout le monde était sur la terrasse, Stephen faillit tomber de l'autre côté de la balustrade. Deux des invités durent le retenir.

« Tu devrais te méfier de cette maison, Steve, dit Parker Earne, un acteur ami de Stephen. Elle est peut-être ensorcelée.

— Qu'est-ce que tu racontes ? demanda Stephen. Tu n'arriveras pas à me faire peur. J'ai beau être acteur, je ne suis pas superstitieux pour un sou.

— Parce que, comme ça, vous êtes acteur, Mr. Castle ? » fit une voix de femme dans l'obscurité.

Quand leurs invités furent partis, Stephen suggéra à Olivia de retourner sur la terrasse.

« Peut-être que l'air me rafraîchira les idées, dit-il en souriant. J'étais légèrement rond ce soir, excuse-moi... Tu vois ce bon vieil Orion ? » Il entoura Olivia de son bras et l'attira contre lui. « La constellation la plus étincelante de tout le firmament.

— Tu me fais mal, Stephen ! Pas si... »

Soudain, elle hurla et se débattit désespérément.

« La garce ! » haleta Stephen, stupéfait de sa force.

Elle avait réussi à se dégager et se tenait près de la porte de la chambre, face à lui.

« Tu voulais me faire tomber, n'est-ce pas ?

— Moi ? Seigneur, Olivia... J'ai perdu l'équilibre, c'est tout. J'ai bien cru que je passais par-dessus bord !

— C'est vraiment malin de se raccrocher à une femme au risque de la faire basculer !

— Je ne me suis pas rendu compte. Chérie, j'ai trop bu, je suis navré. »

Ce soir-là, ils partagèrent à leur habitude le même lit, mais chacun fit semblant de dormir. Jusqu'au moment où le sommeil vint, du moins pour Olivia, et à l'aube, comme elle l'avait si souvent dit à Loren. Le lendemain, subrepticement et d'un air innocent, ils inspectèrent chacun de son côté la maison de la cave au grenier, Olivia avec l'idée de se protéger de pièges éventuels, Stephen avec celle de les mettre en place. Il avait décidé que le mieux, c'était encore l'escalier de la cave, bien qu'il eût déjà servi, car, pensait-il, nul ne croirait que quelqu'un ait eu recours deux fois de suite à un procédé identique — du moins avec une intention criminelle.

Il se trouvait qu'Olivia pensait de même.

Jamais les marches de la cave n'avaient été si peu encombrées et si bien éclairées. Aucun des deux ne voulut prendre l'initiative d'éteindre ce soir-là. Chacun affirma bien haut son amour pour l'autre et la confiance qu'il lui portait.

« Je suis désolée d'avoir dit une chose pareille, Stephen, lui chuchota-t-elle à l'oreille en l'étreignant. Hier soir sur la terrasse, j'ai eu peur, c'est tout. Quand tu m'as traitée de garce...

— Je sais, mon ange. Comment aurais-tu pu croire que je voulais te faire du mal ! Je t'ai traitée de garce simplement parce que j'ai eu peur de te faire tomber. »

Ils reparlèrent de croisières. Au printemps prochain, ils iraient en Europe. A table, néanmoins, ils goûtèrent avec précaution chaque aliment avant de le manger.

Comment aurais-je pu faire quoi que ce soit, pensa Stephen, alors que tu ne quittes pas un instant la cuisine pendant que tu prépares le repas.

Et Olivia : comme si j'allais rajouter quelque chose derrière ton dos, Stephen. Quelquefois, tu me sembles plutôt borné.

Elle dissimulait son humiliation d'avoir perdu un amant sous une rancune féroce. Elle comprenait qu'on s'était servi d'elle. A ses yeux, le charme de Stephen avait entièrement disparu. Pourtant, pensa Olivia, jamais il n'avait aussi bien joué la comédie. En scène vingt-quatre heures sur vingt-quatre. Elle se félicita de ne pas s'être laissé berner et entreprit d'échafauder un plan pour se débarrasser de Stephen, consciente que cet « accident » devrait être encore plus plausible que celui qui l'avait libérée de Loren.

Stephen savait qu'il possédait un certain nombre d'atouts. Tous ceux qui les connaissaient, Olivia et lui, même très superficiellement, étaient persuadés qu'il l'adorait. S'il affirmait que c'était un accident, personne ne mettrait sa parole en doute. Il jouait avec l'idée du grand congélateur dans la cave. L'appareil était dépourvu de poignée intérieure, et de temps à autre, Olivia y entrait pour prendre des steaks ou des asperges surgelés. Mais maintenant que ses soupçons étaient éveillés, oserait-elle le faire si lui se trouvait dans la cave ? C'était peu probable.

Un matin, alors qu'Olivia était en train de prendre son petit déjeuner au lit — elle occupait de nouveau sa chambre et Stephen lui apportait son plateau comme Loren l'avait toujours fait — Stephen alla regarder d'un peu plus près la porte du congélateur. Il s'aperçut que si elle butait contre quelque chose en s'ouvrant, elle se refermait automatiquement, lentement mais sûrement. Aucun objet suffisamment résistant ne se trouvait à proximité du congélateur; l'espace était au contraire dégagé pour que la porte pût s'ouvrir en grand, une targette placée à l'extérieur de celle-ci venant se prendre dans un crochet qui l'empêchait de se refermer. Il avait remarqué qu'Olivia ouvrait la porte d'un geste large chaque fois qu'elle pénétrait dans l'armoire frigorifique et que la targette s'enclenchait. Mais s'il plaçait un objet en travers, ne serait-ce que l'angle de la caisse à petit bois, la porte buterait et se rabattrait avant qu'Olivia ait eu le temps de comprendre ce qu'il lui arrivait.

Toutefois, le moment lui parut mal choisi pour déplacer la caisse et il décida d'attendre. Olivia avait parlé d'aller au restaurant ce soir-là. Elle n'aurait besoin de rien dans le congélateur.

Vers trois heures de l'après-midi, ils allèrent faire un tour dans le bois, derrière la maison, puis rentrèrent et faillirent même se prendre par la main dans un geste réciproque de fausse tendresse, aussi déplaisante que déplacée — mais leurs doigts se séparèrent aussitôt après s'être effleurés.

« Je suis sûre qu'une tasse de thé ne nous ferait pas de mal, mon chéri. Tu ne crois pas ? dit Olivia.

— Mmmm... »

Il sourit. Du poison dans le thé ? Dans les sablés ? Elle en avait fait ce matin.

Il se rappela comment ils avaient mijoté la triste fin de Loren, les tendres chuchotements d'Olivia discutant du meurtre lors de leurs déjeuners d'amoureux, son infinie patience à mesure que les semaines passaient et que leurs plans échouaient l'un après l'autre. C'était lui qui avait eu l'idée du balai mécanique sur les marches de la cave et du cri d'Olivia pour attirer Loren. La cervelle d'oiseau de la jeune femme en aurait été bien incapable.

Peu après le thé et les gâteaux (le tout délicieux), Stephen quitta la salle de séjour, sans but apparent. Quelque chose le poussait à aller vérifier s'il pouvait vraiment compter sur la caisse. L'heure était venue, il en avait l'intuition, de mettre en place son piège. L'escalier de la cave était allumé. Il descendit les marches avec précaution.

Stephen s'arrêta un instant et écouta, au cas où Olivia l'aurait suivi. Puis il tira la caisse à l'endroit voulu, en évitant naturellement de la placer parallèlement au congélateur; il la mit sur le côté, un peu en retrait, comme si on l'avait sortie de la zone d'ombre pour en voir le contenu. Il ouvrit la porte du congélateur aussi vite et aussi fort que l'aurait fait Olivia et fit un pas à l'intérieur, la main droite tendue pour l'empêcher de se refermer. Mais le pied sur lequel reposait le poids de son corps glissa de quelques centimètres vers l'avant au moment précis où la porte butait contre la caisse.

Stephen se retrouva par terre, le genou droit sur le plancher de l'appareil, la jambe gauche tendue en avant, et la porte se referma sur lui. Il se releva aussitôt et se tourna vers celle-ci, les yeux écarquillés dans l'obscurité. En tâtonnant, il chercha le second interrupteur situé à gauche de la porte; le fond du congélateur s'éclaira. Qu'est-ce qui s'était passé? Et cette foutue pellicule de givre sur le sol! Mais il n'y avait pas que du givre. Son pied avait glissé sur un petit morceau de lard qu'il aperçut par terre, au milieu, au bout de la trace grasse laissée par son pied. Stephen le contempla pendant une minute d'un regard neutre, vide, puis il se tourna de nouveau vers la porte et essaya de la pousser, ses doigts explorant le bourrelet de caoutchouc qui la fermait hermétiquement. Bien sûr, il pouvait appeler Olivia. Elle finirait bien par l'entendre, ou au moins par avoir *envie* de le voir, avant qu'il ait le temps de geler. En supposant que du salon, elle ne l'entende pas, elle irait certainement à la cave et le problème serait résolu. Car elle ouvrirait la porte, c'était évident. Il eut un faible sourire et refusa d'en douter.

« Olivia ?... *Olivia* ! Je suis là, *dans la cave* ! »

Ce n'est qu'une demi-heure plus tard environ qu'Olivia voulut demander à Stephen dans quel restaurant il souhaitait aller, afin de savoir ce qu'elle allait mettre. Elle le chercha dans sa chambre, dans la bibliothèque, sur la terrasse, puis elle ouvrit la porte d'entrée et cria son nom, pensant qu'il était peut-être dans le jardin. Finalement, elle essaya la cave.

Pendant ce temps, Stephen recroquevillé dans sa veste en tweed, les bras étroitement croisés, marchait de long en large dans l'amoire frigorifique, hurlant au secours toutes les trente secondes et utilisant ce qui lui restait d'énergie pour souffler à l'intérieur du col de sa chemise afin de se réchauffer. Olivia allait remonter quand elle entendit faiblement appeler son nom.

« Stephen ?... Stephen, où es-tu ?

— Dans le congélateur ! » cria-t-il de toutes ses forces.

Olivia regarda l'appareil avec un sourire incrédule.

« Ouvre, bon sang ! Je suis *dans* le congélateur ! », dit la voix étouffée.

Olivia rejeta la tête en arrière et partit d'un grand éclat de rire sans se soucier d'être entendue par Stephen. Puis, pliée en deux, elle remonta les marches.

Ce qui causait son hilarité, c'était qu'elle avait bien pensé au congélateur pour se débarrasser de Stephen, mais sans réussir à trouver comment l'y faire entrer. Or un hasard malin l'y avait enfermé — peut-être au moment précis où il lui préparait un tour à sa façon. C'était trop drôle! Et cela tombait merveilleusement bien!

A moins, réfléchit-elle, que ce ne fût une ruse pour l'obliger à ouvrir la porte, l'attirer à l'intérieur et l'enfermer, *elle*! Elle se garderait de se laisser prendre à ce piège.

Olivia sortit sa voiture, roula pendant une trentaine de kilomètres, acheta un sandwich dans un café au bord de la route, puis alla au cinéma. Quand elle rentra vers minuit, elle s'aperçut qu'elle n'avait pas le courage d'aller appeler près du congélateur, ni de descendre dans la cave. C'était peut-être encore un peu tôt; même s'il n'appelait plus, il pouvait faire semblant d'avoir perdu connaissance. Mais demain, se dit-elle, il serait sûrement mort. Ne serait-ce que d'asphyxie. Elle alla se coucher avec un léger somnifère pour être sûre de bien dormir. La journée du lendemain allait être éprouvante. Le récit qu'elle ferait de sa légère dispute avec Stephen (à propos du choix du restaurant, rien de plus) et de son départ de la salle de séjour, pour faire un tour et se calmer, avait-elle pensé, devrait être particulièrement convaincant.

Le lendemain matin à dix heures, après avoir bu un jus d'orange et une tasse de café, Olivia se sentit prête à endosser le rôle de la veuve horrifiée et anéantie par le chagrin. Après tout, se dit-elle pour se rassurer, ce n'était pas la première fois. Elle décida d'affronter la police comme précédemment, en robe de chambre.

Afin que tout eût l'air parfaitement naturel, elle descendit dans la cave pour faire « l'horrible découverte » avant de téléphoner à la police.

« Stephen?... Stephen? » chantonna-t-elle en toute confiance.

Pas de réponse.

Elle ouvrit le congélateur avec appréhension, retint son souffle en voyant sur le sol la forme recroquevillée et couverte de givre, puis s'approcha — consciente que ses empreintes bien visibles confirmeraient qu'elle était entrée dans le congélateur pour essayer de ranimer Stephen.

Vlam! fit la porte, comme si quelqu'un au-dehors l'avait vigoureusement repoussée.

Cette fois, Olivia eut réellement le souffle coupé et elle resta bouche bée. Elle avait ouvert la porte en grand et celle-ci aurait dû se bloquer.

« Il y a quelqu'un? Ouvrez cette porte, je vous prie! Immédiatement! »

Mais elle savait que la cave était vide. C'était juste un accident idiot. Un accident peut-être manigancé par Stephen.

Elle regarda son visage. Stephen avait les yeux ouverts, et sur les lèvres s'attardait son petit sourire habituel, un petit sourire de triomphe maintenant, profondément déplaisant. Ce fut le dernier regard que lui adressa Olivia. Elle ramena autour d'elle, aussi étroitement qu'elle le put, son peignoir léger et se mit à hurler :

« Au secours! A l'aide!... *Police*! »

Elle appela pendant ce qui lui parut être des heures, jusqu'à ce que sa voix fût devenue rauque et qu'elle n'eût plus vraiment froid — juste un peu sommeil.

TABLE DES MATIÈRES

DU MÊME AUTEUR

Nouvelles éditions des « classiques »

La critique évolue, les connaissances s'accroissent. Le Livre de Poche Classique renouvelle, sous des couvertures prestigieuses, la présentation et l'étude des grands auteurs français et étrangers. Les préfaces sont rédigées par les plus grands écrivains ; l'appareil critique, les notes tiennent compte des plus récents travaux des spécialistes.

Texte intégral

Extrait du catalogue*

Sam wich

4

Por aqua

pisar la pe del '

Non pisar la

(verdure ?)

« Composition réalisée en ordinateur par IOTA »

IMPRIMÉ EN FRANCE PAR BRODARD ET TAUPIN
58, rue Jean Bleuzen - Vanves - Usine de La Flèche.
LIBRAIRIE GÉNÉRALE FRANÇAISE - 14, rue de l'Ancienne-Comédie - Paris.

ISBN : 2 - 253 - 03461 - 4   ✧ 30/7483/8